관음경 강기

구마라즙 한역
정공스님 강기
허만항 편역

비움과소통

일 러 두 기

1. 정공법사께서 1983년 12월 대만 징메이景美 화장도서관華藏圖書館에서 열린 관음불칠법회에서 강설하신 《묘법연화경 관세음보살보문품 강기妙法蓮華經 觀世音菩薩普門品 講記》를 저본으로 번역하였다.

2. 정공법사께서 이 법회에서 텍스트로 삼은 것은 청나라 대의大義법사의 《법화경 대성法華經大成》(卍續藏 第 32 冊 No.0619)으로 이는 법화경 주석을 회집한 것이다.

3. 《관음경》 즉 《관세음보살보문품》은 묘법연화경의 제25품으로 구마라즙대사께서 장행 부분을 번역하시고, 사나굴다闍那崛多 존자가 중송 부분을 번역하셨는데, 현재 널리 유통되는 한역본은 이를 회집한 것이다. 그러나 범본에는 한역본의 게송부분에 없는 「3구 7수」가 있는데, 이는 극락정토와 아미타부처님을 찬탄한 게송으로 중화민국 여벽성呂碧城거사가 처음으로 한역본에 이를 추가하였다.

회상보문품송繪像普門品頌

인광印光대사

크도다! 관세음보살이시여, 법계장을 철저히 증득하시어 대비원력을 타고 모든 색상을 두루 나타내시도다. (중생의) 소리를 찾아 괴로움에서 구하시고 (중생의) 느낌을 따라 두루 응하시니, 달이 중천에 떠올라서 모든 시냇물에 그림자를 아로새기는 듯해라. 진실로 중생심은 보살과 둘이 아니지만, 그 자성본연의 각성을 등진 까닭에 마침내 가로막혀 달라졌도다. 이미 모든 재난 맞닥뜨리니, 구원의 손길 드리우시길 바랄 뿐이라. 이 일념의 마음에 즉하니, 곧 진각眞覺의 근원에 계합하네. 그러므로 생각이 일어날 때 관세음보살의 명호를 염할지니, 마침내 지금 이 순간 마음 가운데 구제를 입어 재난의 형벌을 여의도다.

세존께서 영취산에서 법석에 올라 《법화경》을 선설하시니, 무진의보살이 명호를 따라 공경심에 여쭙기에 이르렀다. 세존께서 마침내 (관세음보살께서) 몸으로 나타내시어 중생의 괴로움을 구하시는 일을 간략히 설하시니, 대지에서 티끌 하나 들어 간략히 조금 뜻을 보이셨도다. 이로 인해 모든 중생은 믿고 의지하는 대상이 생겼나니, 하늘과 땅이 만물을 덮고 받쳐주는 것 같고, 부모님이 자식을 어루만지며 길러주시는 것 같다. 옛날에 한 불자가 보살의 자비를 널리 알리고자 금가루로 「보문품」을 사경하고, 괴로움에서 구하시는 위의를 그림으로 그렸다. 연대가 이미 오래되었지만, 다행히 항상 잘 유지하였으므로 오접경吳蝶卿이 이를 직접 얻어 삼가 이어받았다. 세상 사람에게 바른 믿음을 일깨우고자 인지因地[1]의 기원을 착어로 삼나니, 원컨대 법계의 중생으로 하여금 함께 실상의 이체를 증득하여지이다. 이에 그 좁은 식견을 잊고서 모든 인연을 간략히 표시하나니, 보고 듣는 이는 제일의천(제일의공 ; 대승열반)에 오르길 바라나이다.

---

1) 범부지凡夫地에서 처음 발심하여 수학하는 것에서부터 원만히 성불하는 이전에 이르기까지 일단의 수학기간을 모두 인지因地라 부른다.

어제御製 관세음보문품경觀世音普門品經 서문

관세음보살께서는 삭가라(爍迦羅: 금강)의 마음으로 중생에게 응하여 변신하심이 무궁하고, 자재신통으로 법계에 두루 노니시며, 미진국토에 들어가 설법 제도하시고, 미묘한 상호를 구족하시고 크고 넓은 서원은 바다와 같이 깊어 무릇 인연이 있는 중생이 청정심을 발하여 잠깐 관세음보살 명호를 듣고 소리 내어 부르면 곧 소리를 따라 응하시어 하고자 하는 모든 원이 곧 뜻대로 얻어진다.

《묘법연화경 보문품妙法蓮華經 普門品》이란 괴로움의 핍박을 벗어나는 진실한 이치를 갖춘 말(眞詮)이다. 사람들이 능히 항상 이 경으로써 관觀을 지어서 일념一念이 막 싹트면 곧 대비하신 수승한 상호를 뵙고, 일체 온갖 괴로움이 사라지니, 그 공덕이 불가사의하다.

오직 복은 선행에 있고 화는 방종에 있는 까닭에 부

처님께서는 과보를 보이시어 사람들에게 선을 행하게 하고 감히 악을 저지르지 못하도록 하셨다. 대개 천당과 지옥은 모두 사람이 행한 바로 말미암고, 사방 한 치의 마음에 어긋나지 않는 까닭에 선한 자는 천당에 오르게 되고, 악한 자는 지옥에 떨어지게 된다.

대개 충신과 효자, 선한 사람과 곧은 학인은 그 마음이 부처님께 즉即한 까닭에 신명神明이 감싸 보우하사 업장이 모두 사라지나니, 살아서는 헌조憲條를 범하지 않고 죽어서는 무간지옥에 떨어지지 않는다. 흉악하고 욕심이 많은 무리는 온갖 악을 저지르고, 해진 빗자루처럼 오륜을 저버리며, 밥 먹듯이 형법을 짓밟아서 차라리 나찰에게 줄지언정 불도를 공경하지 않는다.

그러나 사람의 본성은 본래 선하여 악을 저지르는 자는 성격이 한쪽으로 치우쳐져 있다. 진실로 마음을 고치고 생각을 바꾸어서 수행하고 반성하면 두려운 재난을 피하고, 한 생각 옳게 돌리는 순간 악이 선으로 바뀔 수 있다. 선을 행하면 곧 선인이 되어 과거의 쌓은 허물을 우주의 일점 티끌처럼 붉은 화로 위 눈송이처럼 말끔히 씻어버리니, 과보가 분명히 있거늘 어찌 편안히 밀쳐두려고 하는가?

짐이 항상 이를 생각하니, 오직 세상 사람들이 허물이 있는데도 그것을 고칠 줄 모르고 마음이 풀어져 자신을 내버릴까 두려워, 마침내 이 경을 세상에 알리고 찬탄하여 선량한 군자에게 영원히 금계의 마음을 굳건히 하도록 하고, 널리 무량한 복을 넓게 받아들이도록 한다면 선을 행한 공덕이 어찌 한계가 있겠는가!

영락永樂 9년(명나라, 1411년) 5월 초하루

南无观世音菩萨
世间善男子善女人若有急难恐怖但
自归命观世音菩萨无不得解脱者
佛说大乘无量寿庄严清净平等觉经 大士神光第二十八
네(혜일대사)가 불법佛法을 전해
스스로를 이롭게 하고 남을 이롭게 하려면,
오직 서방극락세계 아미타불을 부를 것이니,
정토법문이 다른 모든 수행들보다 뛰어나다는
사실을 알아야 한다.
-관세음보살

목 차

묘법연화경 관세음보살보문품

妙法蓮華經 觀世音菩薩 普門品

요진姚秦 삼장법사三藏法師 구마라즙鳩摩羅什 장행長行 역
수북隋北 천축사문天竺沙門 사나굴다闍那崛多 중송重頌 역
민국民國 거사居士 여벽성呂碧城 삼구칠수三句七首 가송加頌 역

이때 무진의보살이 곧 자리에서 일어나 오른 어깨를 드러내고, 부처님께 합장하며 아뢰기를, "세존이시여! 관세음보살은 어떤 인연으로 명호를 관세음이라 하나이까?"

爾時 無盡意菩薩 卽從座起 偏袒右肩 合掌向佛 而作是言, 世尊, 觀世音菩薩 以何因緣 名觀世音.

부처님께서 무진의보살에게 이르시길, "선남자야, 만약 무량 백천만 억 중생들이 있어 갖가지 괴로움에 핍박 받을 때 이 관세음보살의 명호를 듣고서 일심으로 칭명하면 관세음보살이 즉시 그 음성을 관하여 모두 해탈을 얻게 하느니라."

佛告無盡意菩薩, 善男子, 若有無量 百千萬億衆生 受諸苦惱, 聞是觀世音菩薩 一心稱名, 觀世音菩薩 卽時 觀其音聲 皆得解脫.

"만약 이 관세음보살의 명호를 지니는 사람이 있어 설사 큰불 속에 들어갈지라도 불이 그를 태우지 못하나니, 이 보살의 위신력으로 말미암은 까닭이니라."

若有持是觀世音菩薩名者 設入大火 火不能燒, 由是菩薩威神力故,

"만약 큰물에 떠내려갈지라도 관세음보살의 명호를 부르면 곧 얕은 곳에 이르느니라."

若爲大水所漂 稱其名號 卽得淺處,

"만약 백천만 억 중생이 있어 금·은·유리·자거·마노·산호·호박·진주 등의 보물을 구하러 큰 바다에 들어갔다가 칠흑 같은 폭풍이 그의 배에 불어와 표류하다 나찰 귀신 나라에 떨어질지라도, 그 가운데 내지 한 사람이라도 관세음보살의 명호를 부르는 이가 있으면, 이 모든 사람들이 모두 나찰의 난에서 벗어날 수 있느니라. 이러한 인연으로 명호를 「관세음」이라 하느니라."

若有百千萬億衆生 爲求金銀琉璃 硨磲瑪瑙 珊瑚琥珀 眞珠等寶,

入於大海 假使黑風 吹其船舫 漂墮羅刹鬼國, 其中 若有乃至人稱觀世音菩薩名者, 是諸人等 皆得解脫羅刹之難. 以是因緣 名觀世音.

"또 어떤 사람이 (목숨을 잃는) 해를 받아야 하는 상황에 처하여 관세음보살의 명호를 부르면 저들이 붙잡고 있는 칼과 막대기가 동강나서 벗어나느니라."

若復有人 臨當被害 稱觀世音菩薩名者, 彼所執刀杖 尋段段壞而得解脫.

"만약 삼천대천 국토에 야차와 나찰이 가득 차서 사람을 괴롭히려고 찾아올지라도 관세음보살의 명호를 부르는 그 소리를 들으면 이 모든 악귀가 오히려 능히 악한 눈으로 보지 못할진대, 하물며 다시 해를 가하겠느냐."

若三千大千國土 滿中夜叉羅刹 欲來惱人, 聞其稱觀世音菩薩名者, 是諸惡鬼 尙不能以惡眼 視之, 況復加害.

“설령 다시 어떤 사람이 죄가 있든 죄가 없든, 수갑과 족쇄를 차고 칼과 쇠사슬로 그 몸이 묶인 채로 조사를 받을지라도 관세음보살의 명호를 부르면 모두 다 끊어지고 부서져 곧 풀리어 벗어나느니라.”

設復有人 若有罪 若無罪 杻械枷鎖 檢繫其身, 稱觀世音菩薩名者 皆悉斷壞 卽得解脫.

“만약 삼천대천 국토에 (재산과 목숨을 빼앗는) 원적怨賊이 가득 차 있을지라도 한 상주가 매우 많은 상인을 거느리고 귀중한 보물을 가지고 위험한 길을 지날 적에, 그 중에 한 사람이 선창하여 말하길, 「모든 선남자여! 두려워 말고 무서워하지 말라! 너희들은 응당 일심으로 관세음보살의 명호를 부를지니라. 이 보살께서는 능히 중생에게 무외로써 베푸시나니, 너희들이 명호를 부르면 이 원적에서 벗어나리라!」 수많은 상인들이 이 말을 듣고는 모두 소리 내어 「나무관세음보살!」이라 그 명호를 부른 까닭에 곧 벗어났느니라!"

若三千大千國土 滿中怨賊, 有一商主 將諸商人 齎持重寶 經過險路, 其中一人 作是唱言, 諸善男子, 勿得恐怖. 汝等 應當一心稱觀世音菩薩名號. 是菩薩能以無畏 施於衆生, 汝等 若稱名者, 於此怨賊 當得解脫. 衆商人 聞俱發聲言, 南無觀世音菩薩 稱其名故 卽得解脫.

"무진의여, 관세음보살마하살의 위신력이 높고 높아서 이와 같으니라."

無盡意, 觀世音菩薩摩訶薩 威神之力 巍巍如是.

“만약 어떤 중생이 음욕이 많을지라도 항상 「관세음보살」을 지념持念하여 공경 귀의하면 문득 음욕을 여의게 되고, 만약 성내는 마음이 많을지라도 항상 「관세음보살」을 지념하여 공경 귀의하면 문득 성내는 마음을 여의게 되며, 만약 어리석음이 많을지라도 항상 「관세음보살」을 지념하여 공경 귀의하면 문득 어리석음을 여의게 되느니라.”

若有衆生 多於婬欲 常念恭敬觀世音菩薩 便得離欲, 若多瞋恚 常念恭敬觀世音菩薩 便得離瞋, 若多愚癡 常念恭敬觀世音菩薩 便得離癡.

“무진의여! 관세음보살은 이와 같은 등의 큰 위신력으로 중생에게 풍부한 이익을 많이 베풀어주므로 이런 까닭에 중생은 항상 관세음보살을 일심으로 지념해야 하느니라.”

無盡意, 觀世音菩薩 有如是等 大威神力 多所饒益, 是故衆生常應心念.

“만약 어떤 여인이 가령 아들 낳기를 구하고자 하여 관세음보살에게 예배하고 공양하면 곧 복덕과 지혜를 지닌 아들을 낳고, 딸 낳기를 구하고자 하면 곧 단정하고 잘생긴 딸을 낳으니, 그 아이는 숙세에 덕의 근본을 심어 많은 사람들이 아끼고 존경하느니라. 무진의여! 관세음보살에게 이와 같은 위신력이 있느니라.”

若有女人 設欲求男 禮拜供養觀世音菩薩, 便生福德智慧之男, 設欲求女 便生端正 有相之女, 宿植德本 衆人愛敬. 無盡意, 觀世

音菩薩 有-如是力.

"만약 어떤 중생이 관세음보살께 공경하고 예배를 드리면 그 복이 헛되이 버려지지 않느니라. 이런 까닭에 중생은 모두 관세음보살의 명호를 수지해야 하느니라."

若有衆生 恭敬禮拜觀世音菩薩 福不唐捐. 是故衆生 皆應受持觀世音菩薩名號.

"무진의여! 만약 어떤 사람이 62억 항하사 보살의 이름을 지니고 또 몸이 다하도록 음식·의복·와구·의약품을 공양한다면, 그대 생각에 어떠한가? 이 선남자 선여인의 공덕이 많겠느냐?" 무진의보살이 아뢰기를, "세존이시여! 매우 많습니다!" 부처님께서 말씀하시기를, "만약 다시 어떤 사람이 관세음보살의 명호를 수지하거나 내지 일념이라도 관세음보살에게 예배 공양하면, 이 두 사람의 복은 똑같아 백천만억 겁에도 다하지 않으리라."

無盡意, 若有人受持六十二億恒河沙 菩薩名字, 復盡形供養飮食衣服 臥具醫藥, 於汝意云何. 是善男子善女人 功德多不. 無盡意言, 甚多. 世尊. 佛拜供養, 是二人福 正等無異, 於百千萬億劫不可窮盡.

"무진의여! 관세음보살의 명호를 수지하면 이와 같은 무량무변한 복덕의 이익을 얻느니라."

無盡意, 受持觀世音菩薩名號, 得如是 無量無邊福德之利.

무진의보살이 부처님께 아뢰기를, "세

존이시여! 관세음보살은 어떻게 이 사바 세계에서 노닐고, 어떻게 중생을 위하여 설법하며, 방편의 힘은 그 일이 어떠하나이까?”

無盡意菩薩 白佛言, 世尊, 觀世音菩薩 云何遊此娑婆世界, 云何而爲衆生說法, 方便之力 其事云何.

부처님께서 무진의보살에게 이르시길, “선남자여! 만약 어떤 국토에 중생이 있어 부처님의 몸으로써 제도 받음을 얻는 자에게 응하여 관세음보살이 곧 부처의 몸으로 나타나서 설법하고, 벽지불의 몸으로써 제도 받음을 얻는 자에게 응하여 곧 벽지불의 몸으로 나타나서 설법하며, 성문의 몸으로써 제도 받음을 얻는 자에게 응하여 곧 성문의 몸으로 나타나서 설법하느니라."

佛告無盡意菩薩, 善男子, 若有國土衆生 應以佛身 得度者 觀世音菩薩 卽現佛身 而爲說法, 應以辟支佛身 得度者 卽現辟支佛身 而爲說法, 應以聲聞身 得度者 卽現聲聞身 而爲說法,

"범왕의 몸으로써 제도 받음을 얻는 자에게 응하여 곧 범왕의 몸으로 나타나서 설법하며, 제석천의 몸으로써 제도 받음을 얻는 자에게 응하여 곧 제석천의 몸으로 나타나서 설법하며, 자재천의 몸으로써 제도 받음을 얻는 자에게 응하여 곧 자재천의 몸으로 나타나서 설법하며, 대자재천의 몸으로써 제도 받음을 얻는 자에게 응하여 곧 대자재천의 몸으로 나타나서 설법하며, 천대장군의 몸으로써 제도 받음을 얻는 자에게 응하여 곧 천대장군의 몸으로 나타나서 설법하며,

비사문의 몸으로써 제도 받음을 얻는 자에게 응하여 곧 비사문의 몸으로 나타나서 설법하느니라.”

應以梵王身 得度者 卽現梵王身 而爲說法, 應以帝釋身 得度者 卽現帝釋身 而爲說法, 應以自在天身 得度者 卽現自在天身 而爲說法, 應以大自在天身 得度者 卽現大自在天身 而爲說法, 應以天大將軍身 得度者 卽現天大將軍身 而爲說法, 應以毘沙門身 得度者 卽現毘沙門身 而爲說法,

“소왕의 몸으로써 제도 받음을 얻는 자에게 응하여 곧 소왕의 몸으로 나타나서 설법하며, 장자의 몸으로써 제도 받음을 얻는 자에게 응하여 곧 장자의 몸으로 나타나서 설법하고, 거사의 몸으로써 제도 받음을 얻는 자에게 응하여 곧 거사의 몸으로 나타나서 설법하고, 재관宰官의 몸으로써 제도 받음을 얻는 자에게 응하여 곧 재관의 몸으로 나타나서 설법하며, 바라문의 몸으로써 제도 받음을 얻는 자에게 응하여 곧 바라문의 몸으로 나타나서 설법하느니라."

應以小王身 得度者 卽現小王身 而爲說法, 應以長者身 得度者 卽現長者身 而爲說法, 應以居士身 得度者 卽現居士身 而爲說法, 應以宰官身 得度者 卽現宰官身 而爲說法, 應以婆羅門身 得度者 卽現婆羅門身 而爲說法,

"비구 · 비구니 · 우바새 · 우바이의 몸으로써 제도 받음을 얻는 자에게 응하여 곧 비구 · 비구니 · 우바새 · 우바이의 몸으로 나타나서 설법하느니라."

應以比丘 比丘尼 優婆塞 優婆夷身 得度者 卽現比丘 比丘尼 優婆塞 優婆夷身 而爲說法,

"장자 · 거사 · 재관 · 바라문 여성의 몸

으로써 제도 받음을 얻는 자에게 응하여 곧 여성의 몸으로 나타나서 설법하느니라."

應以長者 居士 宰官 婆羅門婦女身 得度者 卽現婦女身 而爲說法,

"동남·동녀의 몸으로써 제도 받음을 얻는 자에게 응하여 곧 동남·동녀의 몸으로 나타나서 설법하느니라."

應以童男童女身 得度者 卽現童男童女身 而爲說法,

"천·용·야차·건달바·아수라·가루라·긴나라·마후라가와 인·비인 등의 몸으로써 제도 받음을 얻는 자에게 응하여 곧 모두 그들과 같은 몸으로 나타나서 그들을 위하여 설법하느니라."

應以天 龍 夜叉 乾闥婆 阿修羅 迦樓羅 緊那羅 摩睺羅伽 人非人等身 得度者 卽皆現之 而爲說法,

"집금강신의 몸으로써 제도 받음을 얻는 자에게 응하여 곧 집금강의 몸으로 나타나서 그를 위하여 설법하느니라."

應以執金剛神 得度者 卽現執金剛神 而爲說法.

"무진의여! 이 관세음보살이 이와 같은 공덕을 성취하여 갖가지 형상으로 모든 국토에서 노닐면서 중생을 제도하고 해탈케 하느니라."

無盡意, 是觀世音菩薩 成就如是功德, 以種種形 遊諸國土 度脫衆生.

"이런 까닭에 그대들은 응당 관세음보살에게 일심으로 공양할지니라. 이 관세음보살마하살은 두렵고 무서우며 위급한 액난 중에서 능히 무외를 베푸나니, 이런 까닭에 이 사바세계에서는 모두 이름하여「무외를 베푸는 이」라 하느니라.”

是故汝等 應當一心 供養觀世音菩薩. 是觀世音菩薩摩訶薩 於怖畏急難之中 能施無畏. 是故此娑婆世界 皆號之爲 施無畏者.

무진의보살이 부처님께 아뢰기를, “세존이시여! 제가 지금 관세음보살께 공양하고자 하나이다.” 하고는 곧 가치가 백천양 금이나 나가는 온갖 보배 구슬로 꿰어 만든 영락을 목에서 풀어 관세음보살께 드리면서 말하길, “인자시여! 지금 이 법으로 보시하는 진귀한 보배 영락을 받아주옵소서.” 하였다.

無盡意菩薩 白佛言, 世尊, 我今當供養觀世音菩薩.卽解頸衆寶珠瓔珞, 價直百千兩金, 而以與之 作是言, 仁者, 受此法施 珍寶瓔珞.

이때 관세음보살께서 이를 선뜻 받지

앉으시자, 무진의보살이 관세음보살에게 다시 아뢰기를, "인자시여! 저희들을 불쌍히 여기시는 까닭으로 이 영락을 받아주옵소서." 하였다.

時 觀世音菩薩 不肯受之, 無盡意 復白觀世音菩薩言, 仁者, 愍我等故 受此瓔珞.

이때 부처님께서 관세음보살에게 이르시길, "이 무진의보살 및 사부대중 · 천 · 용 · 야차 · 건달바 · 아수라 · 가루라 · 긴나라 · 마후라가와 인 · 비인 등을 불쌍히 여기는 까닭으로 이 영락을 받을지니라!" 하였다.

爾時 佛告觀世音菩薩, 當愍此無盡意菩薩 及四衆 天 龍 夜叉 乾闥婆 阿修羅 迦樓羅 緊那羅 摩睺羅伽 人非人等故 受是瓔珞.

바로 이때 관세음보살이 모든 사부대중

밎 천·용과 인·비인 등을 불쌍히 여겨서 그 영락을 받아서 둘로 나누어, 하나는 석가모니부처님께 받들어 올리고, 하나는 다보불탑에 받들어 올리느니라.

卽時 觀世音菩薩 愍諸四衆 及於天龍 人非人等, 受-其瓔珞 分作二分, 一分 奉釋迦牟尼佛, 一分 奉多寶佛塔.

"무진의여, 관세음보살은 이와 같은 자재한 위신력이 있어 사바세계에서 노니느니라."

無盡意, 觀世音菩薩 有如是 自在神力 遊於娑婆世界.

이때 무진의보살이 게송으로 여쭙기를,

爾時 無盡意菩薩 以偈問曰,

미묘한 상호 갖추신 세존이시여,
제가 지금 저 일을 거듭 여쭙겠나이다.

이 불자님은 무슨 인연으로
명호를 관세음이라 하나이까?

世尊妙相具, 我今重問彼. 佛子何因緣 名爲觀世音.

미묘한 상호 갖추신 세존께서 게송으로
무진의보살에게 답하시되,

具足妙相尊 偈答無盡意,

그대는 잘 들을지니,
관세음보살의 행지는 일체국토 곳곳마다
가서 잘 응하느니라.
중생 제도의 크고 넓은 서원은 바다와 같이
깊어서 부사의한 겁을 지나도록
천억의 많은 부처님 받들어 모시고
청정한 대원을 발하였느니라.

汝聽觀音行. 善應諸方所, 弘誓深如海 歷劫不思議 侍多千億佛
發大淸淨願.

내 그대를 위해 간략히 말하노니,
보살의 명호를 듣거나, 신상을 보거나
일심으로 지념持念하여
모두 헛되이 보내지 않으면
삼계육도의 갖가지 괴로움을 소멸시킬 수 있느니라.

我爲汝略說, 聞名及見身 心念不空過, 能滅諸有苦.

비록 해치려는 마음을 일으켜
큰불구덩이 속에 떠밀어 넣더라도
저 관음의 명호를 염하여 위신력에 의지하면
불구덩이가 변하여 청량한 못이 되느니라.

假使興害意 推落大火坑 念彼觀音力 火坑變成池,

혹 큰 바다에 표류하여
용과 물고기와 모든 귀신의 난을 입더라도
저 관음의 명호를 염하여 위신력에 의지하면
파도에도 능히 침몰하지 않느니라.

或漂流巨海 龍魚諸鬼難 念彼觀音力 波浪不能沒,

혹 수미산 봉우리에서
사람에게 떠밀려 떨어질지라도
저 관음의 명호를 염하여 위신력에 의지하면
해처럼 허공에 머물러 있느니라.

或在須彌峰 爲人所推墮 念彼觀音力 如日虛空住,

혹 악인에게 쫓기어
금강산에서 떨어질지라도
저 관음의 명호를 염하여 위신력에 의지하면
털끝 하나 상하지 않느니라.

或被惡人逐 墮落金剛山, 念彼觀音力 不能損一毛,

혹 원수나 도적을 만나 그들이 둘러싸면서
칼을 잡고 해치려고 할지라도
저 관음의 명호를 염하여 위신력에 의지하면
모두 곧 자비심을 일으키느니라.

或值怨賊繞 各執刀加害 念彼觀音力 咸卽起慈心,

혹 국법을 어겨 사형의 고난을 만나
형벌을 받아 목숨을 마치게 될지라도
저 관음의 명호를 염하여 위신력에 의지하면
칼이 곧 동강나느니라.

或遭王難苦 臨刑欲壽終 念彼觀音力 刀尋段段壞,

혹 옥에 갇혀 칼과 쇠사슬로 몸이 묶이고
손과 발에 쇠고랑을 찰지라도
저 관음의 명호를 염하여 위신력에 의지하면
그것에서 풀려나 벗어나느니라.

或囚禁枷鎖 手足被杻械 念彼觀音力 釋然得解脫,

주술로 저주하고 온갖 독약으로
몸을 해치려고 하는 자는
저 관음의 명호를 염하여 위신력에 의지하면
오히려 본인에게 되돌아가느니라.

呪詛諸毒藥 所欲害身者 念彼觀音力 還著於本人,

혹 악한 나찰이나 독한 용,
온갖 귀신 등을 만날지라도
저 관음의 명호를 염하여 위신력에 의지하면
이때 그것들이 감히 해치지 못하느니라.

或遇惡羅刹 毒龍諸鬼等 念彼觀音力 時悉不敢害,

만일 포악한 짐승에 둘러싸여
날카로운 이빨과 발톱이 두려울지라도
저 관음의 명호를 염하여 위신력에 의지하면
그 짐승들이 먼 곳으로 빨리 달아나느니라.

若惡獸圍繞 利牙爪可怖 念彼觀音力 疾走無邊方,

도마뱀이나 독사 그리고 살모사나 전갈이
연기를 내며 불이 일 듯 독기를 뿜더라도
저 관음의 명호를 염하여 위신력에 의지하면
칭명의 소리 듣고서 저절로 돌아가느니라.

蚖蛇及蝮蠍 氣毒煙火燃 念彼觀音力 尋聲自迴去,

구름이 몰려와 뇌성이 일고 번개가 치며
우박이 떨어지고 큰비가 쏟아질지라도
저 관음의 명호를 염하여 위신력에 의지하면
감응하는 때 흩어져 걷히게 되느니라.

雲雷鼓掣電 降雹澍大雨 念彼觀音力 應時得消散,

중생이 곤란과 액난을 만나
무량한 괴로움에 몸이 핍박 당해도
저 관음의 미묘한 지혜력으로
능히 세간의 괴로움을 구제하느니라.

衆生被困厄 無量苦逼身, 觀音妙智力 能救世間苦.

신통력을 모두 갖추고
지혜의 방편을 널리 닦아
시방 모든 국토에
몸으로 나타나지 않는 찰토가 없으며

具足神通力 廣修智方便 十方諸國土 無剎不現身,

갖가지 모든 나쁜 갈래인
지옥 · 아귀 · 축생에서 겪는
생로병사의 괴로움이
점차로 다 사라지느니라.

種種諸惡趣 地獄鬼畜生 生老病死苦 以漸悉令滅.

무진의보살은 부처님의 설법을 듣고 마음속으로 믿고 기뻐하며 게송으로 찬탄하기를,

無盡意菩薩, 問佛所說, 心中信悅, 而說偈日

진성심으로 관하고, 청정심으로 관하며
광대한 지혜로 관하고,
연민심으로 관하고, 자애심으로 관하나니
항상 발원하고 항상 우러러 볼지어다.

眞觀淸淨觀 廣大智慧觀 悲觀及慈觀, 常願常瞻仰.

때 없이 청정한 광명인
지혜의 태양으로 모든 어두움을 깨트리고
능히 풍화의 재난을 조복할 수 있으며
널리 세간을 밝게 비추느니라.

無垢淸淨光 慧日破諸闇 能伏災風火 普明照世間.

연민의 체인 계행은 뇌성번개와 같고
자애의 마음은 미묘하고 큰 구름과 같아
감로의 법비를 내려서
번뇌의 불꽃을 꺼서 없애느니라.

悲體戒雷震 慈意妙大雲 澍甘露法雨 滅除煩惱焰.

관청의 법정에서 소송하고 다툴 때나
군대의 진영에서 전쟁함에 두려울 때
저 관음의 명호를 염하여 위신력에 의지하면
온갖 원적 모두 물러나 흩어지느니라.

諍訟訟經官處 怖畏軍陣中 念彼觀音力 衆怨悉退散.

묘음이요 관세음이요
범음이요 해조음이어서
저 세간의 소리보다 뛰어나나니
이런 까닭에 모름지기 항상 염하되
염념마다 의심하지 말지니라.

妙音觀世音 梵音海潮音, 勝彼世間音, 是故須常念 念念勿生疑.

관세음은 청정한 성인이라.
괴로움의 핍박과 죽음의 액난에서
능히 의지하고 믿을 수 있나니
일체 공덕을 구족하고 계시고
자비의 눈으로 중생을 살피시어
그 복이 바다처럼 모여 무량하니
이런 까닭에 마땅히 정례할지니라.

觀世音淨聖, 於苦惱死厄 能爲作依怙.

具一切功德 慈眼視衆生, 福聚海無量, 是故應頂禮.

이처럼 자비심으로 가득하신 저 관세음,
한 때 오는 세상 부처님 되시리라.
세상 중생 위해 온갖 우환 없애 주시니
저는 실로 기쁜 마음에 절하나이다.

彼如是慈悲 一時當成佛 爲世除憂患 我心實悅服.

모든 법왕이 그를 존자로 모시고
공덕은 광산의 보배처럼 풍부해라.
무량겁 지나도록 부지런히 수행하시어
위없는 청정한 도를 증득하셨네.

諸王彼爲尊 功德富於礦 歷劫勤修行 證道最無上.

아미타부처님을 보좌하면서
그 좌우에 모시고 서서
지혜의 힘으로 능히 총지하시고
선정으로 무루를 성취하셨네.

輔翼阿彌陀 侍立其左右 慧力能總持 禪定成無漏.

거룩하신 아미타부처님,
서방에 극락정토가 있나니,
아미타부처님 중생을 돌보시고
관음보살 늘 거하시는 곳이라.

至尊阿彌陀 西方有淨土 彌陀撫衆生 是彼常居處.

저 국토에는 여성이 없고
오직 부처님의 자식들만 있을 뿐,
모두 다 연꽃에서 화생하여
청정한 연못의 연꽃에 앉아있네.

彼國無女人 惟有諸佛子 從蓮花化生 皆坐淨蓮池.

거룩하신 아미타부처님,
연꽃 보배 자리에 앉아서
연꽃 속에서 광명 놓아
사라수왕처럼 밝게 빛나시네.

至尊阿彌陀 寶座蓮華上 花中放光明 照耀最無量.

찬탄하옵건대, 그의 공덕장
삼계에 견줄 이 없나니,
관음보살, 우주의 스승으로 삼아
저는 속히 귀의하겠나이다.

讚彼功德藏 三界無能比 彼爲宇宙師 我輩速歸依.

이때 지지보살이 곧 자리에서 일어나 부처님 앞에서 아뢰기를, "세존이시여! 만약 어떤 중생이 이 「관세음보살보문품」의 자재한 업으로 보문시현하시는 신통력을 듣는다면 마땅히 이 사람의 공덕이 적지 않은 줄 알겠나이다."

爾時 持地菩薩 卽從座起 前白佛言, 世尊, 若有衆生 聞是觀世音菩薩品 自在之業, 普門示現 神通力者, 當知是人 功德不少.

부처님께서 이 「보문품」을 설하실 때 대중 가운데 팔만 사천 중생이 모두 무등

등 아뇩다라삼먁삼보리의 마음을 일으켰다.

佛說是普門品時, 衆中八萬四千衆生 皆發無等等 阿耨多羅三藐三菩提心.

관세음보살보문품 종

관음보살이 오른손으로 혜일스님의 이마를 만지시면서 말씀하시기를
"네가 법을 전해 자리이타自利利他를 바란다면 서방정토, 극락세계,
아미타국을 권하노니, 염불하고 송경誦經하여 정토에 회향하라.
저 국토에 이르고 나서 부처님과 나를 보면 큰 이익을 얻을 것이다.
너 스스로 마땅히 알아야 한다. 정토법문은 모든 수행 가운데
가장 수승한 것이다"라 설하고 홀연히 사라졌다.
- 송고승전

제1부. 관세음보살보문품 해제

이 장에서는 품의 제목을 살펴볼 것입니다. 먼저 관세음보살께서 명호를 얻은 유래, 왜 관세음보살이라 불리는지 설명할 것입니다.

1. 관세음보살의 인지因地 본사本事

《비화경悲華經》에 이르시길, 「과거 산제람散提嵐 불세계에 선지善持 대겁 중에 보장寶藏 부처님이 계실 때, 무량정無量淨 전륜왕轉輪王이 있었으니, 그의 첫째 태자가 석 달간 부처님께 공양올리고 스님께 재를 모시면서 보리심을 발하길, "만약 어떤 중생이 삼악도에서 온갖 고뇌에 시달릴 때 무릇 저를 염하고 저의 이름을 부르는데 제가 천안, 천이로 보고 들어 그 괴로움을 면할 수 없다면 저는 끝내 보리를 성취하지 않겠나이다." 하였느니라. 보장불寶藏佛께서 이르시길, "그대가 일체 중생을 관하여 온갖 괴로움을 끊고자 하는 까닭에 그대를 관세음觀世音이라 이름하리라."」 하셨다.

悲華經云：過去散提嵐界，善持劫中，時有佛，名日寶藏；有轉輪王，名無量淨。第一太子，三月供佛齋僧，發菩提心：若有衆生，受三途等苦惱，凡能念我稱我名字，爲我天眼天耳聞見，不免苦者，我終不成菩提。寶藏佛云：汝觀一切衆生欲斷衆苦，故今字汝爲觀世音。

이 단락에서는 보살께서 명호를 얻은 유래를 설명하고 있습니다. 명호가 확실히 보살께서 성취하신 후 대자대비의 원력과 완전히 상응함을 볼 수 있습니다. 이 단락에서는 모두 보살이 과거세의 인지因地 본사本事를 서술하고 있는데, 가장 중요한 것은 보리심을 발하였다는 점입니다. 뒤쪽의 원은 사홍서원 중 이른바 「중생을 모두 다 제도하겠다(衆生無邊誓願度)」는 원으로 이 원을 발하였습니다.

보리심이 우리들 수학의 근본이라고 부처님께서는 《무량수경》에서 늘 가르치십니다.[2] 어떤 이는 보리심을 발하지 않고, 어떤

2) "제가 부처 될 적에 시방세계 중생들이 저의 명호를 듣고서 저의 국토에 생각을 매어두고, 보리심을 발하여 견고한 신심으로 물러나지 않으며, 온갖 공덕의 근본을 심어 기르고 지극한 마음으로 회향하여 극락세계에 태어나고자 한다면 그 원을 이루지 못하는 이가 없도록 하겠나이다." "극락보살은 지극한 서원을 일으켜서 자기의 국토도 극락세계와 같아지길 발원하고 두루 일체중생을

이는 보리심을 잃어버립니다. 보리심을 발하면 어떻습니까? 발하여도 보리심을 잃어버립니다. 이런 상황은 너무나 많습니다.

보리심은 각심覺心입니다. 우리가 경계에서 한 생각 미혹하면 보리심을 잃어버립니다. 보리심을 잃고서 일체 선법을 닦으면 모두 마구니에게 붙잡혀버립니다. 생각해보십시오. 이는 얼마나 심각한 일입니까? 그래서 학불學佛은 정말로 어렵다고 말합니다. 마음이 안온히 불도에 머물고, 안온히 보살도에 머무는 사람이 몇 명이나 됩니까? 만약 우리가 마음을 진정으로 안온히 보살도에 머물면 보리심을 잃지 않습니다. 수행하여 과위를 증득하는 것은 불과 3~5년의 일이지만, 이것은 조금도 틀리지 않습니다. 왜 성취할 수 없겠습니까? 바로 마음이 도에 머물지 않아서 시시때때로 보리심을 잃어버리기 때문입니다.

제도하겠다는 평등 대비심으로 일체중생에게 각자 위없는 보리심을 발하게 하여 저 윤회하는 몸을 버리고 다 같이 피안에 오르게 하네." 《한글·한문 독송용 무량수경》(비움과소통)

2. 관세음보살의 수행

《능엄경》에서 보살이 스스로 말씀하여 이르시길, "제가 관음여래께 공양함으로 말미암아 그 여래께서 저에게 세간의 일체법은 환과 같다 가르쳐 주시니, 듣는 성품으로 훈습하고 듣는 성품으로 수행하여 이룬 금강삼매로 삼십응신 · 십사무외 · 사부사의를 성취함에 저 부처님여래께서 제가 원통법문을 잘 얻었다고 찬탄하시며 큰 법회 중에 저에게 수기를 주시고 호를 「관세음」이라 하셨나이다."

楞嚴菩薩自陳云：「由我供養觀音如來，蒙彼如來，授我如幻聞薰聞修金剛三昧，成就三十二應、十四無畏、四不思議；彼佛如來，歎我善得圓通法門，於大會中，授記我爲觀世音號。」

「능엄楞嚴」은 《능엄경》의 말씀을 인용한 것이고, 「보살자진운菩薩自陳云」은 바로 《능엄경》 상의 「관세음보살 이근원통장觀世音菩薩耳根圓通章」입니다. 《능엄경》의 제6권에 이 말씀이 있습니다. 이것은 보살께서 명호를 얻은 두 번째 인연을 설명하고 있습니다. 즉 관세음부처님께 공양하고 가까이 모시면서 관세음부처님과 같은 원, 같은 행으로 부처님의 수기를 입어 「관세음보살」이라고 하였습니다.

"세존이시여! 제가 기억하옵건대, 과거 무수한 항하사 겁 이전에 한 부처님께서 세상에 오셨나니, 그 명호가 관세음이었습니다. 제가 그 부처님 앞에서 보리심을 발하자 그 부처님께서 저에게 문사수로부터 삼마지에 들어가라고 가르쳐 주셨습니다."

世尊 憶念我昔無數恒河沙劫 於時有佛出現於世 名觀世音 我於彼佛 發菩提心 彼佛教我 從聞思修 入三摩地

「**세존**世尊」께서 원통圓通을 물으시니, 관세음보살은 석가모니부처님께 대답하였습니다. 본사 석가모니부처님을 「세존」이라 부릅니다. 「**억념아석**憶念我昔」, 제가 과거 생을 회상하건대, 과거는 몇 년, 몇 개월이 아니라 과거 생 「**무수항하사겁**無數恒河沙劫」 이전 입니다. 보살의 기억력은 매우 좋습니다. 우리는 과거 1, 2개월의 일도 제대로 알 수 없지만, 보살은 전생의 일을 모두 압니다. 전생을 알 뿐만 아니라 무수한 겁의 전생 일도 압니다.

우리는 전생을 알고 싶습니까? 당연히 너무 알고 싶습니다. 전생을 알 수 있습니까? 알 수 있습니다. 만약 당신이 관세음보살이 수행한 방법을 쓸 줄 알고, 이 방법에 따라 수행하면 말씀드린 것처럼 몇 년이 걸리지 않아 성취할 것입니다. 그러나 결코 보리심을 잃어버리지 않는 것이 관건입니다. 염념마다 잃지 않는다면 결정코 성취가 있습니다. 하루 24시간 보리심이 몇 찰나, 몇 초 동안 나타나면 그것은 쓸모가 있습니까? 쓸모가 없습니다. 심지어 학불하지 않는 사람도 쓸모가 있다고 이야기하지 않습니다. 우리가 진정으로 이미 출가하였다고 말하면 날마다 거룩한 명호를 수지하고 경전을 수지하면서 하루 종일 몇 초 동안 보리심을 발할 수 있습니까? 1분 동안은 말할 것도 없고 몇 초 동안이라도 보리심을 낸 적이 있었습니까? 그러면서도 우리는 무엇을 성취하였다고 이야기합니까? 염념마다 미혹하여 깨닫지 못하고, 삿되어 바르지 못하며, 물들어 청정하지 않습니다. 이렇게 법을 닦으면 다시 무량 아승지겁을 닦은 후에도 우리는 한 발짝도 나아가지 못하고 여전히 이런 모습입니다. 이를 진지하게 깨달아야 합니다. 「**이전에 한 부처님께서 세상에 오셨나니**」, 바로 그가 가까이 모신 부처님입니다. 「**저는 그 부처님 앞에서 보리심을 발하였습니다.**」 잘 보십시오. 이곳에서도 사람들은 보리심을 발합니다. 《비화경》의 경문에서도 제일구가 발보리심입니다.

우선 여러분에게 중요한 문제를 이야기하고자 합니다. 그것은 바로 발심發心입니다. 앞장 경의 제목에서 「법法」이란 글자를 말했듯이 「법」은 바로 출세간 무량무변의 법문으로 그것을 귀납하면

3대 강령, 곧 중생법 · 불법 · 심법을 벗어나지 않습니다. 거듭 말할 필요 없이 가장 중요한 것은 심법입니다. 마음은 일체 만법의 본체입니다. 일체 대승경전은 전부 심법을 설하고 있습니다. 심법을 깨달으면 이 심법은 바로 불법입니다. 심법을 미혹하면 이 심법은 중생법입니다. 세 가지 법은 원래 한 법(一法)입니다. 보리심은 이런 마음을 깨달은 것으로 바꾸어 말하면 보리심은 불법이고 바로 불심입니다. 이것이 수행하여 과위를 증득하는 인지因地의 마음입니다. 허운대사께서는 "인지가 참되지 못하면 과보가 굽게 된다(因地不眞 果招迂曲)"라고 말씀하셨습니다. 우리는 오늘까지 무량겁 동안 수행하여 현재 이런 과보를 얻었는데, 어떤 이치인지 마땅히 알아야 합니다. 그것은 바로 인지因地가 참되지 못하여 우리는 항상 보리심을 잃어버리게 됩니다.

보리심은 《무량수경》에서 말씀하고 있습니다. 《대승기신론大乘起信論》에서 말씀하신 것처럼 **첫째는 직심直心, 둘째는 심심深心, 셋째는 대비심大悲心입니다. 실제로 이 세 가지 마음은 일심으로 직심을 본체로 삼습니다.** 심심深心은 자수용自受用으로 바로 자신이 받아서 쓰는 것입니다. 대비심은 다른 사람이 받아서 쓰는 타수용他受用으로 바로 우리가 사람을 대하는 마음입니다. 사람을 상대할 때나, 일을 처리할 때나, 사물을 접할 때나 대비심을 써야 합니다. 자기를 대할 때는 심심을 써야 합니다. 직심은 평등심입니다. 생각해보십시오, 우리에게 평등심이 있습니까? 일체 경계에 언제 평등하였습니까? 모두 평등하지 않습니다. 언제나 나는 다른 사람에 비해 조금 더 강하고, 언제나 그 사람들은 모두 나만 못하다고 여깁니다. 이것이 범부심입니다. 분별 · 집착 · 망상은 미혹으로 깨달은 것이 아닙니다. 깨달으면 만법이 평등합니다.

부처님과 대보살의 경계에서는 「**일체중생은 본래 성불하였고**(一切衆生本來成佛)」, 「**유정과 무정은 함께 일체종지에 원만하다**(情與無情 同圓種智)」 하였습니다. 오직 직심直心이라야 이러한 경계를 증득할 수 있고, 이런 경계에 들어갈 수 있으며, 이러한 경계에서 안온히 머물 수 있습니다. 이것이 우리의 진심이고, 우리의 본심입니다. 본심은 본래 평등합니다. 높고 낮음이 없어 잃어버리지 않습니다. 부처님께서는 우리에게 직심을 발하라고 권하시지만, 지금 막 제1찰나에 발하고 제2찰나에 평등하지 않으면 잃어버립니다. 보리심은 이것을 기초로 삼습니다. 만약 직심이 없다면 심심과 대비심도 모두 없습니다. 비록 사람을 대할 때 자비로울지라도 그 사람은 진실로 자비롭다고 생각하지 마십시오. 그런 자비는 애착에 인연한 자비이고 중생에 인연한 자비이지, 대승법에서 말하는 대자비심이 아닙니다. 왜냐하면 대승불법의 대자비심은 직심에서 생기는 것이기 때문입니다.

심심에 대해 말하면, 소승의 아라한 · 벽지불 · 권교보살도 상당히 청정하여 견사번뇌見思煩惱가 모두 다하였지만, 심심은 아닙니니다. 성문 · 연각은 근본적으로 보리심이 없습니다. 그래서 능엄회상에서 그들은 외도라고 말합니다. 아라한과 벽지불은 외도입니다. 이런 외도는 불교 바깥의 외도가 아니라 **불문 안의 외도**라고 합니다. 왜 그를 외도라고 하겠습니까? 그에게는 보리심이 없기 때문입니다. **보리심을 발하지 않고 여전히 마음 바깥에서 법을 구하므로 외도라고 합니다.** 문제의 관건은 보리심에 있다고 볼 수 있습니다. 우리는 특별히 그것을 중시해야 합니다.

심심은 청정심입니다. 심지가 청정한 것이 최고의 향수享受입니다. 어떤 경계에 있든 상관없이 만약 마음이 청정하면 일미의 향수인데, 이것을 정정正定이라 합니다. 이 같은 향수를 정수正受라고 합니다. 이런 향수는 일체 경계에 대해 말하면 바로 일진법계입니다. 천당에서 즐거운 느낌(樂受)이 없으면 당신의 마음은 청정합니다. 만약 즐거움이 있다면 당신의 마음은 청정하지 못하고 청정을 잃어버립니다. 지옥 안에서 괴롭다고 느끼면 당신의 마음은 청정하지 못합니다. 만약 청정심이라면 천당과 지옥에서 평등하게 향수하고 모두 받아들이지 않습니다. 이것을 진정한 향수라고 합니다. 그래서 불법에서는 삼매를 말합니다. 《묘음보살품》의 경문 마지막 구절에서 「화덕보살이 법화삼매를 얻었다(華德菩薩得法華三昧)」라고 말합니다. 삼매가 바로 정수正受입니다. 우리가 현재 느끼는 것은 희로애락喜怒哀樂 애오욕愛惡欲, 이 칠정오욕七情五欲의 향수는 정상이 아닙니다. 그것은 범부의 향수로 허망하여 진실하지 못한 향수이고, 진정한 향수가 아닙니다. 몇 사람이 이런 경계를 알 수 있습니까? 몇 사람이 이런 좋은 점을 압니까? 이것은 직심이 일으키는 작용입니다.

그래서 당신의 마음이 평등하면 당신 자신의 향수는 반드시 청정합니다. 다른 사람을 상대할 때나, 사람을 대할 때나 사물을 대할 때나 일을 대할 때나 반드시 대자대비합니다. 이른바 「무연대자無緣大慈」입니다. 무연은 무조건적이란 뜻입니다. 「동체대비同體大悲」, 동체의 뜻입니다. 일체 만법은 모두 일심이 변해 나타나므로 그것이 어떻게 동체가 아니겠습니까? 《화엄경》에서는 말씀하시길, "마땅히 법계의 성품을 관해야 할지니, 일체가 오직 마음이 지은 것이니라(應觀法界性 一切唯心造)." 하셨습니다. 그렇다면 어떤 마음입니까? 바로 자신의 진심입니다. **십법계 의정장엄依正莊嚴은 모두 자신의 일심이 변하여 나타난 경계입니다. 만약 미혹하지 않으면 일체 경계가 모두 부처님의 경계입니다. 당신이 미혹해야 비로소 십법계가 있고, 무량무변의 법계가 있습니다.** 이것이 보리심의 가장 간단한 해석입니다.

발심을 하지 않고 닦을 방법이 없습니다. 발심을 하지 않으면 불보살님께서도 우리를 가르칠 수 없습니다. 바꾸어 말하면 불보살님께서 당신을 가르치시고 싶지만, 당신의 수준이 모자라고 당신의 조건이 갖추어져 있지 않습니다. 비유컨대 내가 목이 말라서 어떤 사람에게 "좋은 차 한잔 마시며, 갈증도 풀고 즐거운 시간을 가질 수 있을까요?"라고 묻고 싶은데, 우리들 자신에게는 찻잔조차도 없습니다. 그 사람에게는 차가 있어도 어떻게 하겠습니까? 당신에게 줄 방법이 없습니다. 적어도 당신 자신이 찻잔을 휴대하고 있어야 합니다. 그래서 당신이 불법을 강설할 수 있는 법기가 되려면 자신이 법기의 조건을 구비해야 합니다. 어떤 조건입니까? 발보리심입니다. **진실로 보리심을 발하면 불보살님께서는 언제든지 당신을 찾아오십니다.** 왜 그렇습니까? 당신에게 충분히 자격이 있기 때문입니다. 당신이 대승불법을 배울 수 있고, 게다가 이번 일생 중에 반드시 성취한다면 불보살님께서 어찌 기뻐하시지 않을 리가 있겠습니까! 세세생생토록 당신에게 권유하셨지만, 모두 진실로 발심하지 않았고, 모두 진실로 뉘우치지 않았습니다. 그러나 당신이 이번에 진실로 발심하고 진실로 뉘우친다면, 생각해보십시오, 불보살님께서 얼마나 기뻐하시겠습니까! 그래서 당신은 "나는 부처님을 만날 수 없고, 보살을 만날 수 없으며, 어떤 좋은 인연도 만날 수 없다."고 생각하지 마십시요! 불보살님께서는 시시각각 당신을 둘러싸고, 당신을 돌보고 계시면서 언제라도 당신이 마음을 돌려 뜻을 바꾸면 몸을 나투십니다. 만약 당신이 여전히 생각마다 모두 미혹하고 전도되어 있다면 불보살님께서 몸을 나투셔도 쓸모없습니다. 당신에게 좋은 점은 별로 없는데다가 나쁜 점들은 여전히 많습니다. 왜 그렇습니까? 당신의 사견이 늘어나고 죄업을 짓는 기회가 늘어나기 때문입니다. 여러분은 이 부분에서 체득할 수 있어야 비로소 불보살님의 진정한 자비심을 알 수 있습니다.

이번 단락에서는 공양에 대해 말하고 있습니다. 공양에는 두 가지가 있습니다. 첫째는 몸으로 하는 공양입니다. 가까이 있으면서 받들어 모시고 그를 위해 복무하는 것입니다. 둘째는 **가장 중요한 것으로 발심공양입니다. 바로 보리심을 발하여 가르침대로 봉행하는 것으로, 이것을 「진실한 공양」이라 합니다.** 《화엄경》의 말씀을 보면 공양의 공덕을 찬탄하고 있습니다. 그것은 진실로 "오직 유불여불(唯佛與佛: 석가 세존과 시방 제불)만이 비로소 구경에 이를 수 있습니다(唯佛與佛方能究竟)". 《화엄경》에서 오직 발보리심만 찬탄하고 있는 품이 있는데, 바로 「초발심공덕품初發心功德品」입니다. 인지因地의 마음이 있으면 불보살님께서 당신을 돌보러 오시고, 반드시 당신에게 수행의 방법을 가르쳐 주십니다. 수행방법을 말하는데, 이것은 바로 삼혜三慧를 닦는 것입니다.

「저에게 가르쳐 주셨습니다(教我).」 이는 관세음보살께서 말씀하신 것으로 고불이신 관세음불께서 「문사수로부터 삼마지에 들어가라고(從聞思修入三摩地)」 가르쳐 주셨습니다. 처음 배우는 사람은 왕왕 문사수聞思修 세 글자를 잘못 이해합니다. 제가 여기서 강설하고 여러분이 여기서 듣는 것을 문聞이라고 합니까? 한편으로 듣고

한편으로 그 이치를 생각하는 것이 사思라고 합니까? 그것은 전부다 틀렸다고 말씀드리겠습니다. 당신은 여기서 망상을 짓고 있습니다.

문혜聞慧는 삼혜 중 하나로 얻기 어렵습니다. 왜 얻기 어렵습니까? 왜냐하면 보리심이 없기 때문입니다. 보리심이 없으면 단지 무엇을 강설하여 주겠습니까? 계정혜 삼학을 강설하여 수학할 수 있지만 삼혜에 자격이 없습니다. 문사수를 삼혜三慧라고 합니다. 선정도 없습니다. 혜慧는 어디서 옵니까? 선정은 보통의 선정이 아닙니다. 성문 연각의 선정조차도 멀었습니다. 보살이 닦는 큰 선정(大定) 가운데 혜가 열립니다. 실제로 소승인은 사과 아라한(四果羅漢)에 이르러 구차제정九次第定을 성취합니다. 애석하게도 그는 선정에 머물러도 선정의 경계를 포기하길 바라지 않고, 자기 경계가 향상 승급하길 원합니다. 그가 발심하여 선정경계에 머무르지 않고 다시 향상 승급하고자 하는 것을 「발보리심」이라고 합니다. **그래서 소승을 돌려서 대승으로 향할 때 그에게 지혜가 있습니다. 머무는 것에서 한 단계 승급하는 것이 지혜입니다. 이런 지혜 속에서 불보살님이 그에게 가르쳐주십니다.** 이런 지혜 속에는 문혜聞慧가 있고, 사혜思慧가 있으며, 수혜修慧가 있습니다. 지혜를 얻는 층차層次를 보면 삼층집이라 말합니다. 일층에서는 계를 배우고, 이층에서는 선정을 닦으며, 삼층에서는 지혜가 열립니다. 그런 후에 비로소 문혜 · 사혜 · 수혜가 있습니다. 이것은 일종의 수학강령이고, 대승불법에서 수학하는 총강령입니다. 소승이 수학하는 총강령은 삼학이고, 대승이 수학하는 총강령은 바로 문사수입니다. **소승의 목표는 치우친 편진열반偏眞涅槃[3]을 증득하는 것이고, 대승의 목표는 삼마지三摩地로 들어가는 것입니다. 삼마지란 무엇입니까? 《능엄경》에서 말하는 것은 바로 능엄대정楞嚴大定으로 염불법문에서 말하는 이일심불란理一心不亂입니다.** 명칭은 다르지만 한 가지 일, 동일한 경계입니다.

관세음보살께서는 능엄회상에서 시현하신 것으로 과거에 관음부처님께서 그에게 이 방법을 가르쳐 주셨다고 말합니다. 이 강령으로 수학하여 능엄대정을 증득하셨습니다. 보살 지위 상에서 《법화》와 《화엄》은 모두 원교圓教로 관세음보살은 어떤 위차位次에 있는 보살입니까? 《능엄경》에 따르면 그는 처음 삼마지에 들어갔습니다. 바꾸어 말하면 그는 원교초주 보살이었습니다. 《화엄경》에

---

3) "장교의 과는 치우친 진리의 열반(偏眞涅槃)이다. 여기서는 오음(색, 수상, 행, 식), 12처(6근과 6진), 18계(6근, 6진 및 6식) 등을 모두 멸진(滅盡)함으로써 불생불멸의 열반을 증득하고 이에 도달한다. 저 열반의 경계에는 오음, 12처, 18계가 모두 소멸되어 텅 비었으므로 한물건도 남아 있는 것이 없으므로 치우친 진리의 열반(偏眞涅槃)이라고 부른다. 장교의 치우친 진리의 열반(偏眞涅槃)과 통교의 진제열반(眞諦涅槃)의 차이점은 다음과 같다. 전자(장교)는 일체법을 멸진한 후에 비로소 열반을 증득하는 것이고, 후자(통교)는 일체법 자체가 그대로 공이고 그대로 열반이므로 멸진을 기다려 비로소 그때 공하게 되는 것이 아니다." 원영대사 《아미타경요해 강의》, 박병규거사 번역, 연지해회.

따르면 초주가 아니라 경계가 이미 승급하였습니다. 「보문품」에 따르면 관세음보살께서는 자신의 수행을 말씀하시지 않고, 단지 중생을 제도하시는 대원대용大願大用만 말씀하십니다. 관세음보살께서는 당연히 이미 성취하셨습니다. 자신이 성취하지 않았다면 어떻게 근본자리에서 작용을 일으킬 수(從體起用) 있겠습니까? 그 자신은 이미 삼마지에 들어갔다고 말하면 그가 깨달아 들어간 경계가 아직 얕기 때문에 그는 중생을 교화할 수 없고, 작용을 발휘할 수 없습니다. 만약 중생을 두루 제도한다고 말하려면 그가 증득한 위차가 반드시 매우 깊어야 합니다. 그래서 《비화경》·《능엄경》·《법화경》 이 세 가지 경을 합쳐서 보아야 비로소 관세음보살에 대해 진정한 요해와 상당한 인식이 생기며, 비로소 우리 자신의 신심을 건립하고 관세음보살과 감응도교할 수 있습니다. 그래서 교리에 대해 절대로 소홀해서는 안 되고, 반드시 진지하게 연구해야 합니다.

이미 문혜를 말씀드렸습니다. 문聞이란 무엇입니까? 이근耳根 가운데 듣는 성품(聞性)을 말하는 것입니다. 듣는 성품으로 여여한 이치를 들으면 강설한 것은 진리입니다. 이 방법에 입각해 시각始覺의 묘지妙智를 일으킵니다. 마치 《기신론》에서 우리에게 본각本覺·시각始覺을 강설해주시는 것과 같습니다. 이 시각은 바로 경에서 언제나 염하게 되는 아뇩다라삼막삼보리阿耨多羅三藐三菩提로 무상정등정각無上正等正覺을 뜻합니다. 이 시각의 현전은 바로 정등정각을

개시하여 현현합니다. 문聞은 이런 뜻을 말합니다.

무엇을 **사혜思慧**라 합니까? 사혜는 바로 정각正覺의 관찰로 절대로 의식의 마음이 아닙니다. 교광交光대사께서 《능엄정맥楞嚴正脈》에서 우리에게 식을 버리고 근을 쓰는 방법(捨識用根)을 가르쳐 주셨습니다. 식識이란 무엇입니까? 심의식心意識입니다. 선가의 참선參禪은 심의식을 여의고 참구하는 것으로 선가는 그런 수단의 과반은 의근意根으로부터 육근을 모두 거두어들이는(都攝六根) 방법을 사용합니다. 관세음보살께서도 듣는 성품으로부터 시작하십니다. 무릇 육근의 근성根性을 쓰면 반드시 성취합니다. 제6식(六識; 의식, 말나식)을 쓰면 엉망이 됩니다. 당신이 닦는 법문이 어느 것이든 상관없이 모두 범부행이고 중생법으로서 생사를 마치고, 삼계를 벗어날 수 없습니다. 이것을 우리는 기억해야 합니다.

범부의 마음을 쓰는 것은 바로 심의식을 쓰는 것입니다. 단지 **여전히 구제할 방법이 있다면 그것은 바로 염불법문으로 「업을 짊어진 채 왕생」하는 것입니다. 그래서 이 법문을 믿기 어려운 법(難信之法)이라 합니다.** 왜냐하면 모든 대소승 경론에서는 이런 설법이 없기 때문입니다. 어디에 업을 짊어진 채 왕생할 수 있다는 설법이 있습니까? 단지 이 법문만이 있을 뿐입니다. 그러나 이 법문도 잘못 이해하지 말고, 이치를 분명히 밝혀야 합니다. 왜 그렇습니까? 우리는 과거 생에 보살처럼 무량겁을 닦았듯이 우리도 무량겁을 닦았습니다. 그러나 그는 이미 성불하였지만, 우리는 아직도 생사범부입니다. 원인은 어디에 있습니까? 그는 일찍이 뉘우쳤지만, 우리는 여태껏 뉘우친 적이 없습니다. 뉘우친 적이 없을 뿐만 아니라 우리는 바로 염불도 제대로 하지 못하였고, 세세생생토록 맹목적으로 닦았습니다. 만약 맹목적으로 닦지 않았다면 일찍 서방극락세계에 왕생하여 우리도 모든 상선인上善人이 되었고, 이미 대보살을 이루었을 겁니다. 그렇다면 당신이 어떻게 우리와 같이 앉아 있겠습니까? 당신은 부처님을 잘 염하지 못했다고 볼 수 있습니다. 요컨대 공부가 한 덩어리가 되도록 염하지 못하여 왕생할 수 없었습니다. 이번 일생에 우리는 또 불법을 만나 맹목적으로 닦는다면 과거 생처럼 이번 일생도 헛되이 지나갈 것입니다. 내생의 경우 금생만 못할 수도 있습니다. 이런 상황으로 고민이 클 것입니다. 그래서 진지하지 않고서 어떻게 행하겠습니까?

진지하려면 먼저 이론에 정통해야 합니다. 우리가 이렇게 많은 시간을 쓰고 이렇게 많은 마음을 써서 《미타경소초彌陀經疏鈔》를 연구 토론하는 목적은 어디에 있습니까? 온통 이러한 이치 · 방법 · 경계를 분명히 밝히고 싶어 하면 헛되이 지내지 않고 이번 일생에 결정코 왕생할 것입니다. 우리의 목표가 있는 곳을 알아야 합니다. 이 염불법문을 얻는 것이 그렇게 용이하다고 상상하는 것이 아니라 기타 일체법문에 비해 용이합니다. 그것이 진실이고 조금도 가식이 아닙니다. 왜 그렇습니까? **기타 법문을 성취하려면 반드시 계정혜를 닦고 문사수로부터 삼마지에 들어가야 합니다.** 당신은 반드시 이 길을 걸어가야 합니다. 팔만사천 법문이 모두 이 원칙에 위배될 수 없습니다. 이 길에는 업을 짊어진 채 왕생하는 법문은 없습니다. 이 길은 삼마지에 들어가야 이일심불란理一心不亂이라고 말합니다. **정토의 용이함은 어디에 있습니까? 용이함은 업을 짊어진 채 왕생하고, 극락세계에 범성동거토가 있다는데 있습니다.** 그것은 앞장에서 여러분에게 말씀드렸듯이 관조하는 공부로 부처님 명호를 염해야 득력得力할 수 있습니다.

관세음보살께서는 구함이 있으면 반드시 응하십니다(有求必應). 관세음보살의 거룩한 명호를 염하십시오. 일심불란에 이르도록 염해야 합니다. 《아미타경》에서 말한 것과 같이 사일심事一心이 있고, 이일심理一心이 있으며, 공부성편功夫成片이 있습니다. 보살과 감응도교하려면 최저한도로 공부가 성편에 이르도록 염해야 합니다. 구함이 있으면 반드시 감응하십니다. 그와 친구로 교제하고 도를 교류하는 자격이 생깁니다. "관세음보살께서는 제가 현재 조금이라도 고민하는 일이 있으면 저를 돕습니다." 그에게 반드시 응답하십니다. 당신이 세간의 공명 · 부귀, 명성 · 이득을 구하고자 하면 모두 얻습니다. 그가 당신을 도울 것입니다. 그러나 그것은 너무 유치한 것입니다! 무엇을 구해야 합니까? 부처가 되길 구하고, 보살이 되길 구하십시오. 구하지 않으면 그뿐입니다. 구하려면 큰 것을 구해야지, 작은 것을 구하지 말아야 합니다. 여러분은 이 부분에서 이러한 이치를 명백히 알아서 신심을 계발啟發해야만, 이번 관음불칠觀音佛七 수행이 헛되지 않을 것입니다. 이번 일생의 수행에서 이것이 관건인 시각으로 이를 잘 포착해야 합니다. 그래서 사혜思慧는 간단히 말해 바로 정지정견正知正見입니다. 정등정각正等正覺은 정지정견으로 《법화경》에서 말한 부처님의 지견입니다.

참선參禪을 하여도 심의식을 여의어야 하고, 교하(教下; 교종)에서도 심의식을 여의어야 합니다. **심의식을 여의지 못하면** (경론의 이치에 대한) **원만한 이해가 크게 열릴(大開圓解) 수가 없습니다.** 염불도 심의식을 여의어야 합니다. **심의식을 여의지 못하면 이일심불란은 얻을 수 없지만, 사일심事一心을 얻을 수 있고 공부가 성편에 이를 수 있습니다.** 그래서 염불이 좋은 것은 여기에 있습니다. 선종과 교종은 만약 심의식을 여의지 못하면 생사를 마칠 수 없고 윤회를 뛰어넘을 수 있는 방법이 없습니다. 이로써 이 법문의 수승함을 알 수 있습니다. 제가 미국에서 경전 강설을 할 때 저는 미국 불자들이 좋아하는 것에 마음이 맞지 않았습니다. 불자들은 선종을 좋아하고 밀종을 좋아하였지만, 저는 선종에 대해서도 별로 말할 것이 없고, 밀종에 대해서도 수행가인 척 하며 말할 수 없어서 오르지 정토법문만 강설하였습니다. 왜 그렇습니까? 강설의 기연機緣이 무르익지 않아 가지 않으면 그뿐이지만, 일단 강설하러 가면 진실법을 강설하였습니다. 받아들이는 사람이 없었겠습니까? 매우 많은 사람들이 받아들였습니다. 원래 선종을 배우고 밀교를 배웠어도 몇 차례 저의 강설을 듣고 그들의 마음이 모두 움직여서 모두 정토를 닦으려 했습니다. 이것은 좋은 현상입니다. 진실법을 들으면 반드시 받아들이는 사람이 있으며, 제불보살님께서 은연중에 가지加持하십니다.

무엇을 **수혜修慧**라 합니까? 수혜는 바로 이 부분에서 말하는 「문훈문수聞熏聞修」입니다. 보살은 《능엄경》에서 문훈문수聞熏聞修에 환幻 자를 덧붙여서 「수아여환授我如幻」이라 하셨습니다. 환幻, 이 한 글자는 바로 삼륜체공三輪體空[4]으로 매우 중요합니다. 「**상에 즉하고 상을 여읜다(即相離相)**」면 결정코 상에 머물 수 없습니다. 왜 그렇습니까? 하나라도 머무는 것이 있으면 돌이켜 들음(反聞)이라 하지 않고 안으로 살핀다(內照)고 하지 않으며, 마음은 또 바깥 경계로 달려갈 것입니다. 이 공부는 대단히 세밀하여 생각생각 회광반조回光返照해야 합니다. 《능엄경》에서는 "듣는 자기의 성품을 돌이켜 들으면 그 성품이 위없는 도를 이루느니라(反聞聞自性 性成無上道)."라고 말씀하십니다. 그래서 돌이켜 들을 줄 알아야 합니다. 이것이 공부의 비결입니다. 그러나 말씀드린 것처럼 그 조건은 보리심입니다. 보리심이 없으면 무엇을 돌이켜 듣습니까? 오히려

---

4) 시공施空, 수공受空, 시물공施物空으로 주는 사람, 받는 사람 그리고 주는 물건이 모두 그 본체가 없다는 뜻이다.

여전히 망상 · 분별 · 집착입니다. 당신이 마음 바깥 반연攀緣에 머물러도 망상 · 분별 · 집착이고 마음속 반연에 머물러도 망상 · 분별 · 집착입니다. 그래서 근저인 보리심으로 귀결하는 것이 매우 중요합니다! **보리심은 망심이 아니라 진심입니다. 진심은 평등심으로 일체상을 여의고, 일체법에 즉하며, 여기에서 닦아나가야 합니다.**

수혜로 생겨나는 공덕은 불가사의합니다. 그것은 바로 지혜의 현전입니다. 지혜의 현전은 안에 대한 것으로 바로 《능엄경》에서 말하는 육결六結을 풀고 삼공三空을 깨뜨리는 것입니다. 이런 자신이어야 비로소 능엄대정을 증득할 수 있고, 삼마지에 들어갈 수 있습니다. 이른바 삼마지는 바로 정혜일체定慧一體입니다. 육조대사께서는 《단경壇經》에서 우리에게 좌선, 즉 「정을 닦음(修定)」을 말씀하여 주셨습니다. 그는 좌선을 분명하게 밝히고자 하셨는데, 좌선은 책상다리를 하고 앉아서 명상하는 것이 아니라고 하셨습니다. 육조대사께서는 《금강경》으로부터 개오하였습니다. 그래서 그가 말씀하신 것은 모두 《금강경》과 떼어놓을 수 없고, 《금강경》에서 모두 근거를 찾아내었습니다. 무엇을 선이라고 합니까? **무엇을 선禪이라고 합니까? 「분별상에 취착하지 않음(不取於相)」이 바로 선禪입니다. 무엇이 정定입니까? 「성상(性相)이 여여하여 항상 부동함(如如不動)」을 정定이라 합니다. 좌선은 행주좌와行住坐臥에 당신의 마음이 바깥 반연으로 향하지 않고, 일체경계에서 여여하여 부동함이 모두 좌선입니다.**

육조대사의 이 설법은 물론 《금강경》에서 이론근거를 찾아내었지만, 육조대사 이전에는 경전에서 수행방법을 찾아낼 수 없었습니까? 있었습니다. 《사십화엄四十華嚴》 안의 53참五十三參입니다. 선재동자는 육향장자鬻香長者를 참방하는데, 그는 선정을 닦는 분입니다. 그는 어디에서 선정을 닦았습니까? 시전市廛입니다. 옛날의 시전은 바로 현재의 시장, 백화점으로 가장 번화한 장소입니다. 그는 이곳에서 책상다리를 하고 앉아서 면벽하는 것이 아니라 거리를 돌아다니면서 이런 것도 보고 저런 것도 보는데, 이것을 선정을 닦음이라 하고 좌선이라 합니다. 백화점에 가서 항상 보면서 무엇을 알게 됩니까? 과학기술의 진보로 현재 어떤 신상품이 있는지 알게 됩니다. 이것이 지혜를 열어줍니다. 당신은 저에게 제가 모든 것을 다 아는지 물을 수도 있습니다. 그러나 저는 절대 이런 마음이 없습니다. 진기한 것을 보면 저도 사고 싶고 마음이 움직입니다. 마음을 움직이면 선정은 없습니다. 모든 것에 다 또렷한 것이 지혜입니다. 법법마다 모두 여여하여 부동한 것이 선정입니다. 그래서 보통사람이 백화점에 가면 유혹하는 힘이 너무 커서 새로운 진기한 것들에 마음이 움직이면 모두 범부입니다. 수행인도 보통사람과 같이 봅니다. 그것들에 고개를 끄덕이고 좋다고 하여도 부동심이면 선정을 닦는 것입니다. 그래서 좌선은 인적을 찾을 수 없는 곳에 가는 것이 아닙니다. 그곳에 가서 면벽하는 것이 아닙니다. 그것은 소승인이 선정을 닦는 것입니다. 보살이 선정을 닦음은 이와 같지 않습니다. 어느 곳이든 번화한 곳이면 어디든 갑니다. 이것을 수修라고 합니다. 수修란 무엇입니까? 우리의 망상을 닦고, 우리의 분별을 닦으며, 우리의 집착을 닦습니다. 우리가 일체경계에서 마음을 일으키고 생각을 움직이면 바로 병입니다. 이 병을 고쳐서 일체경계에서 마음이 일어나지 않고 생각이 움직이지 않으며, 분별하지 않고 집착하지 않으면, 이것을 「수혜修慧」라고 합니다.

당신은 한마디 아미타불, 부처님 명호를 왜 염합니까? 그것은 바로 당신 자신의 마음을 지킬 수 없을 때, 마음이 경계에 따라 굴러서 경계 속에 마음이 일어나고 생각이 움직일 때, 한마디 「나무아미타불」은 자기 자신을 일깨워 주기 때문입니다. "나는 어떻게 또 미혹되었는가?" 이것이 아미타불 부처님 명호에 담긴 뜻입니다. 「나무」는 귀의歸依인데 귀歸는 뉘우침입니다. 즉 내가 경계에 미혹되어 경계 속에 마음이 일어나고 생각이 움직일 때, 미혹으로부터 빨리 한 생각을 돌려 뉘우치는 것입니다. 의依는 무엇에 의지합니까? 아미타부처님께 의지합니다. 아미타불의 뜻은 무량각無量覺입니다. 「아阿」는 번역하면 무無이고, 「미타彌陀」는 번역하면 량量이며, 「불佛」은 번역하면 각覺이 됩니다. 무량은 일체법의 경계가 무량무변하다는 뜻입니다. 무량무변한 경계 속에서 우리는 모두 미혹되지 말고 깨달아야 합니다. 이 뜻을 알면 한마디 아미타불 부처님 명호가 바로 관조觀照입니다. 그래서 아미타불 부처님 명호는 우리를 미혹에서 깨어나게 하고, 우리를 전도됨으로

부터 깨어나게 합니다. 한 생각 미혹함(一昧)에 한마디 아미타불 명호를 염하는 것이 아니라 그것을 신명이 오는 것처럼 다루어 "저를 보우하십니다. 보십시오, 제가 날마다 당신을 생각하고 있고, 당신에게 이렇게 잘 하고 있습니다. 저에게 어려움이 있으니, 응당 저를 구하러 오셔야 합니다." 이런 방법은 틀렸습니다. 그것은 미신이고 종교로 바뀝니다. 불교는 종교가 아니라고 말씀드립니다. 종교는 모두 감성적이고 미신적입니다. 종교는 모두 그에게 기대고 자신은 어찌 할 도리가 없어 그에게 도와주러 와달라고 구합니다. 불법은 자신에게 의지하고 자신이 깨달아야 합니다. 자기가 깨달으면 각 종교의 교주조차도 당신에게 스승이 되어달라고 와서 절을 할 것입니다. 왜 그렇습니까? 그는 자신의 문제를 해결하지 못하기 때문입니다. 그는 반드시 당신에게 와서 구하려고 할 것입니다. 그래서 우리는 불법의 본래면목을 분명히 자각해야 합니다. 그것은 지혜의 교육이고, 지혜의 교학입니다.

안으로는 이렇게 큰 좋은 점이 있습니다. 이것은 자리自利를 말합니다. 불법의 자리는 육결六結을 풀고, 삼공三空을 초월하며, 오온五蘊을 깨뜨리고, 오탁五濁을 초월하는데, 이는 전부 삼혜三慧에 근거합니다. 이 삼혜의 총명칭을 근본지根本智라고 합니다. 또한 무분별지無分別智라고도 합니다. 삼혜는 모두 무분별지로 대내적입니다. 바깥으로는 그것은 대자대비라 하고 후득지라고 합니다. 이는 타수용을 위한 것입니다. 우리는 현재 전도착란 되어 있어

타수용을 자수용이라고 여기고 자수용이 없습니다. 이로 인해 우리는 생사범부가 되고 가련한 사람이 됩니다.

아래의 경문에서는 문사수聞思修 삼혜를 강설하고 있습니다. 관세음보살께서 어떤 학법學法으로 삼마지에 들어갔는지 볼 수 있습니다. 「**처음 듣는 가운데**(初於聞中)」, 이 네 글자는 바로 삼혜에서 문혜입니다. 문혜는 단 일구뿐입니다. 이 경문에서는 세 개의 단락, 바로 삼혜가 있습니다. 「입류망소入流亡所」에서 「공소공멸空所空滅」까지 단락은 사혜思慧·수혜修慧가 모두 그 가운데 포괄되어 있습니다. 「**생멸기멸**生滅既滅, **적멸현전**寂滅現前」, 이것은 경계를 강설하는 것으로 삼마지에 들어감입니다. 그래서 우리들 자신이 이 경계에 도달할 것임을 반드시 알아야 합니다. 마치 길을 걸어가듯이 먼저 지도를 연구하여 그것을 분명히 알아야 그곳에 도달할 수 있습니다. 저는 제가 현재 이 부분에 도달하였음을 압니다. 적멸현전이 이 경계입니다. 염불인은 염불공부로 이 경지에 도달합니다. 당신 자신의 경계가 매우 또렷하면 당신은 이미 이일심불란을 증득하였습니다. 자신이 증득한 경계는 다른 사람에게 물어볼 필요가 없습니다. 부처님께서 《능엄경》에서 특별히 말법시대에는 "삿된 스승의 설법이 항하사 모래알만큼이나 많다(邪師說法如恒河沙)"

라고 똑똑히 말씀하셨습니다. 당신이 다른 사람에게 가르침을 청하면 그 사람은 당신의 길이 잘못되었다고 지적하고, 당신에게 억울해 하지 말라고 할 것입니다! 본래 당신이 걷는 길은 바른 길입니다. 당신 자신을 믿지 못하고 다른 사람에게 가르침을 청하면 그는 삿된 길을 가리키며 당신에게 그 길로 가라고 할 것입니다. 그 길을 가면 당신은 망가질 것입니다. 그래서 **자기 스스로 어떠한 경계에 도달하였는지 알려면 대승경전을 많이 독송하십시오.** 부처님께서는 우리에게 가르쳐 주십니다. **부처님께서 멸도하신 후 우리는 "사람에 의지하지 말고, 법에 의지해 해야 합니다(依法不依人)." 법은 바로 경전입니다.** 우리는 반드시 경전에 있는 이론과 방법, 경전 중에 부처님께서 말씀해 주시는 경계에 자신을 비추어 보아야 합니다.

1. 움직임의 매듭을 풀다

처음 듣는 가운데 성품의 흐름에 들어가 바깥경계가 사라진다.

初於聞中 入流亡所

공부는「입류入流」두 글자에 있다고 말씀하십니다.「문중聞中」,

앞에서 말씀드렸듯이 이것은 문혜聞慧입니다. 결코 마음을 잘못 써서는 안 됩니다. 제6식 안의 이근을 문혜라고 여기지 말아야 합니다. 그러면 틀렸습니다. 제6식은 분별·사유·상상을 잘 하는데 그것을 문혜라고 잘못 여겨서는 안 됩니다. 그러면 "인지가 참되지 못하게 되어 과보가 굽게 됩니다." 그래서 그것은 이식耳識도 아니고 의식意識도 아니며, 이근의 근성根性, 바로 육근근성六根根性입니다. 부처님께서는 《능엄경》에서 듣는 성품(聞性)에 대해서는 비록 말씀하시지 않았지만 보는 성품(見性)에 대해서는 말씀하셨습니다. 매우 긴 한 단락 경문이 있습니다. "열 차례 보는 성품을 드러내다(十番顯見)." **보는 성품을 알면 듣는 성품을 알게 됩니다. 왜냐하면 (육근의) 성품은 하나이기 때문입니다.** "원래 하나의 정미롭고 밝은 자리에 의지하고, 나뉘어서 육화합을 이루는 것이다." 그래서 육근의 근성 중 단지 한 가지 근성에 대해서만 설명을 들으면 그 나머지 근성에 대해 촉류방통觸類旁通5)하여 요달了達할 수 있습니다. **공부는 바로 사수思修입니다. 사수는 입류入流이고, 입류는 바로 반조返照입니다. 관세음보살께서 말씀하신 반문反聞, 「듣는 자기의 성품을 돌이켜 들음(反聞聞自性)」에서 입入은 반返으로 바깥을 향하는 것이 아니라 안을 향하는 것입니다.** 안으로 향함은 완전히 지혜를 기초로 삼습니다. 관지觀智 그것은 능입能入이고, 이문耳門은 소입所入

---

5) 종류별로 접촉해서 곁으로 통한다는 말로 비슷한 것끼리 서로 엮어서 옆에까지 확장하여 통한다는 뜻이다.

입니다. 바꾸어 말하면 관세음보살께서 하신 공부를 이곳에서 간단히 설명하였습니다. 왜냐하면 이것은 원리를 말하는 것으로 이 원리를 알아야 당신이 무슨 공부를 하든지 모두 할 수 있고, 다 도와줄 수 있습니다.

이근, 그것의 대상은 소리입니다. 당신이 소리를 들을 때 어떻게 돌이켜 듣습니까? 처음에는 실제로 말하면 여전히 분별심을 써야 합니다. 왜 그렇습니까? 분별 · 집착을 쓰지 않는다면 관세음보살과 같은 벗(儔類)으로 범부가 아닙니다. 당신이 3년을 공부하면 삼마지의 과위를 증득할 수 있고, 이때 당신은 더 이상 보통사람이 아닙니다. 그래서 우리는 여전히 관조觀照, 조주照住로부터 조견照見에 이르기까지 이 길을 걸어가야 합니다. 관조, 조주는 모두 의식의 마음을 씁니다. 이것은 교광交光대사께서 장수자선長水子璿선사(송대의 능엄경 주석가; 965~1038)와 함께 《능엄경》을 주해하신 것입니다. 이른바 신구 양파의 다른 부분이 이곳에 있습니다. 구주舊註는 모두 천태사상, 천태지관天台止觀에 의거한 것입니다. 왜냐하면 천태지관의 수행방법은 의식의 마음을 쓰기(用意識心) 때문입니다. 그러나 교광대사께서는 완전히 《능엄경楞嚴經》 그 자체에서 강설하는 방법을 사용하셨습니다. 대사께서는 **사마타奢摩他 · 삼마三摩 · 선나禪那는 「식을 버리고 근을 쓴다(捨識用根)」라고 말씀하셨습니다. 그것은 일승의 수행법입니다.** 의식의 마음을 쓰는 것은 일반적으로 말해 삼승의 수행법이고 대승의 수행법입니다. 중국 선종에서도 볼 수 있는데, 육조대사의 이 방법은 바로 달마조사로부터 전래된 유파로 근을 써서 식을 버립니다. 그래서 그가 접인한 근성根性은 상상승인上上乘人입니다. 신수神秀대사께서는 당시 북방에 계셨는데, 접인한 대중은 대승인입니다. 대승인은 여전히 심의식을 쓰고 있음을 볼 수 있습니다. **상상승인은 식을 버리고 근을 씁니다. 선종이든 교종이든 말할 것도 없고 심지어 정토에서도 마찬가지입니다.**

우리는 식을 버리고 근을 쓸 수가 없는 이상 제6식을 써서 관조의 공부를 시작합니다. 그것은 바로 우리가 소리를 들을 때 무슨 소리이든 막론하고 당신이 들은 후에 경계를 또렷이 압니다. 또렷히 알면 됩니다. 다시 집착하지 마십시오. 왜 그렇습니까? 당신은 심의식을 써서 또렷이 알고서 집착하면 곧 제7식으로 변하고 그러면 너무 멀리 달아납니다. 이때 한 생각을 돌려서 선종에서 공부하는 것처럼 **들을 수 있는 이는 누구인가? 누가 들을 수 있는가?** 참구하고 사유합니다. 예컨대 남이 당신을 칭찬하면 당신은 곧장 한 생각을 돌려서, 이 소리를 들을 수 있는 이는 누구인가? 귀가 듣는 것인가? 식이 듣는 것인가? 성품이 듣는 것인가? **당신이 안을 향해 공부하면 바깥에서 당신을 칭찬해도 환희심이 생기지도 않고 번뇌가 일어나지도 않을 것입니다. 남이 당신을 욕하여도 당신은 한 생각을 돌려서, 소리를 듣고 들을 수 있는 이는 누구인가? 당신은 그 욕하는 사람의 말을 모두 잊어버**

리고 번뇌가 생기지 않으며 화를 내지도 않습니다. 이렇게 공부를 하십시오. 우리가 부처님 명호를 염하고 이 부처님 명호를 들을 수 있는 이는 누구인가? 이런 관조 공부를 하면 이것이 바로 각이고, 바로 미혹되지 않음입니다. 바깥 경계를 따라 이리저리 떠돌지 않고, **바깥쪽 경계가 모두 바뀌어 자기 안을 비추는 공부가 됩니다. 이것을 반문反聞이라 하고, 입류入流라고 합니다.** 그래서 반문反聞·입류入流·**사혜思慧·수혜修慧**는 모두 그 가운데 있습니다.

그러나 당신이 안을 향해 안을 들을 때 그곳에서 의정疑情을 일으키며 들을 수 있는 이는 누구인가? 여전히 의식의 마음임을 기억해두십시오. 이 공부를 염불 상에서 하면 사일심불란에 이를 수 있고, 반드시 서방극락세계에 왕생할 자신이 있습니다. 그러나 이일심理一心을 증득하려면 안 됩니다. 그 공부는 거리가 너무 멉니다. 그러나 만약 사일심에 이르고 다시 이일심으로 승급하려면 심의식을 버려야 합니다. 이 마음을 쓰지 않으면 상당히 빠르게 승급하고, 우리는 일생 중에 증득할 수 있습니다. 이것이 「**지혜의 광명으로 안을 비춤(智光內照)**」입니다.

입류入流는 바로 본각本覺과 상응함입니다. 이것을 깨달음과 합침(合覺)이라 합니다. 「망소亡所」에서 소所는 바로 방금 전에 비유하였듯이 당신을 칭찬하는 소리와 당신을 비방하는 소리입니다. 어떻게 합니까? 잊어버려야 합니다. 의식 전체를 모두 돌이켜 듣는데 집중하고 안을 비추는데 집중합니다. 바깥 반연을 향하지 않고 바깥 경계를 잊어버립니다. 이렇게 잊어버리는 것은 바깥 경계에 또렷하지 않다는 말이 아닙니다. 진실로 그것을 잊어버리는 것이 아닙니다. 이런 망각은 바깥 경계가 이미 상에 집착하지 않음을 비유한 것입니다. 《금강경》에서 「분별상에 취착하지 말라(不取於相)」고 말하듯이 바깥 경계 상에 집착하지 않는 것입니다. **바깥 경계 전체를 지혜로써 안을 향해 비추는 것으로 변화시키는 공부를 합니다. 이런 공부를 하기만 하면 점차 득력得力하고 염불공부가 성편成片을 이루어 업을 짊어진 채 왕생할 수 있습니다.** 확실히 어렵지 않습니다! 오직 이 공부를 하면 바로 공부가 성편을 이루어 업을 짊어진 채 왕생합니다. 처음 발심하고 처음 배우는 사람도 3년 공부를 하면 진실로 성취할 수 있습니다. 그러나 관조觀照를 잃어버려서는 안 됩니다. 관조를 잃어버릴 때 3년에 성공할 수 없습니다. 말하자면 남이 칭찬하고 당신이 기뻐하면 당신의 마음은 바깥으로 달립니다. 즉 남이 당신을 비방하고 욕을 해서 화가 나면 당신의 마음은 바깥으로 달립니다. 범부는 바로 마음이 경계를 향해 달립니다, 이것은 매우 번거로운 일입니다. 학불하는 사람의 공부는 그의 마음이 바깥으로 달리지 않고 지킬 수 있습니다. 관조는 바로 마음을 거두어들이는 것으로 매우 중요한 방법입니다.

불법에서만 마음을 거두라고 할 뿐만 아니라 유가儒家에서도 학문을 함에 있어 이 공부를 중히 여깁니다. 맹자孟子는 "학문의 길은 다른 것이 없고, 그 놓아둔 마음을 구할 따름이다(學問之道無他求其放心而已)"라고 말하였다. 바깥에 놓아두었습니까? 육진 경계에 놓아두었습니까? 이것은 바로 불법에서 늘 말하는 육진경계에 분주하게 흐르는 것입니다. 그것을 거두어들이는 것을 「학문」이라고 합니다. 유가에서 학문을 함도 이것을 말합니다. 그러나 이것보다 한층 위를 말하지 않습니다. 불법은 관조를 말합니다. 그 놓아둔 마음을 구함과 관조공부는 같은 뜻입니다. 나아가 **조주**照住를 말하는데 조주는 선정을 닦음을 말하는 것으로 유가에도 있습니다. 그러나 불교에서는 유가에서 찾아 볼 수 없는 **조견**照見을 말합니다. 그것의 경계는 상당히 높습니다. 유가의 수행에 따르면 사일심불란의 경계에 이를 수 있지만, 그것에는 회향迴向도 없고 왕생을 구하지도 않습니다. 불교에서는 **한번 회향하여 왕생하면 범성동거토**凡聖同居土**에 왕생할 뿐만 아니라 방편유여토**方便有餘土**에도 왕생합니다.**

이로써 유가의 학술적 기초를 가볍게 여겨서는 안 됨을 알 수 있습니다. 왜냐하면 중국의 불법은 대승법을 숭상하기 때문입니다. 대승법은 반드시 소승을 기초로 삼아야 합니다. 예컨대 대승은 삼혜를 강설하는데 당신에게 삼학이 없다면 기초가 없는 것입니다. 삼혜는 계정혜의 혜입니다. 그 혜가 없다면 무엇으로 문사수를 이야기 합니까? 그래서 소승을 기초로 삼아야 합니다. 소승이 중국에 통용될 수 없었던 원인은 어디에 있겠습니까? 중국의 유가儒家와 도가道家가 소승을 대신하였기 때문입니다. **유가 도가의 학술사**

상과 수지 공부는 소승에 있지 않고, 마음에 있고 원력에 있습니다. 이것은 소승보다 큽니다. 공부는 소승과 맞먹지만, 그것의 원력은 대승에 버금갑니다. 그래서 대승불법은 특별히 중국에서 한층 더 빛났습니다. 확실히 유가와 도가의 기초 하에 힘을 얻었습니다. 이러한 기초가 있어서 대승불법은 이곳에 이르러 통용될 수 있었습니다. 우리는 이것을 똑똑히 이해해야 합니다.

망소亡所는 육결六結에 있습니다. 첫 번째 매듭을 풀면 바로「움직임(動)」입니다. 왜냐하면 사람들은 이 경계에서 언제나 공부하기 때문입니다. 그의 심지가 청정해져서, 바깥이 순경이든 역경이든 막론하고 마치 모두 그와 상관이 없는 것처럼 그 자신의 마음이 매우 청정해지고, 청정한 한가운데 항상 머뭅니다. 이때의 경계는 매우 좋아서 불법에서 말하면 첫 번째 얻음을 경안輕安이라고 합니다. 그러나 이것은 선정이 아닙니다. 선정공부와 거리가 매우 멉니다. 이것은 당신이 방금 얻은 좋은 경계로 바로 당신의 마음이 바깥경계에 구르지 않아서 마음이 경안을 얻어 마음이 순경이든 역경이든 막론하고 모두 태연자약할 수 있습니다.

마음이 청정한 경지인「고요함(靜)」도 매듭입니다. 이 매듭을 풀지 않으려는 것도 번거로운 일입니다. 그래서 예전대로 입류의 공부를 하려고 할 것입니다. 입류의 공부는 바로 반문의 공부입니다. 끝까지 하려면 시작부터 성불에 이르기까지 계속 정진해야 합니다. 중간에 끝내고, 중단해서는 안 됩니다. **내가 현재 조금 경안을 얻었다고 말하지 마십시오. 마치 편안한 경지에 도달했다는 느낌이 들면 당신은 이런 공부를 더 이상 하지 않을 것이고, 당신의 경계는 이 부분에서 멈출 것입니다. 이런 경계에 멈추면 기타 법문을 닦는 것도 성취할 수 없습니다.** 무엇 때문입니까? 당신이 번뇌를 끊지 못하면 당신은 번뇌를 조복시켜 안에 머뭅니다(伏住).[6] 끊지 못하면 생사를 마칠 수 없고 여전히 윤회가 있어야 합니다. 그래서 이런 일로 크게 괴롭습니다. 그러나 정토를 닦으면 공부가 덩어리를 이루어 업을 진 채 왕생하므로 문제가 없습니다. 업을 짊어진 채 왕생하는 것은 쉽다고 볼 수 있습니다!

임종시 당신을 도와 조념하는 것은 그 신뢰성이 대개 천분의 일임을 알아야 합니다. 살아있을 때 당신이 왕생하길 바라지 않았는데 죽은 후에 왕생하길 권한다고 해서 진실로 수긍하겠습니까?

---

6) "단斷에는 두 가지 종류가 있는데 여기서 「미단未斷」은 멸단滅斷을 말합니다. 멸단은 확실히 쉽지 않습니다. 만약 멸단하면 현전에서 아라한과를 증득합니다. 우리가 **왕생하는 조건은 그렇게 높을 필요가 없고 단지 번뇌를 조복시키는 복단伏斷이면 충분합니다. 복단은 번뇌를 조복시켜 안으로 머물게 하는 것(伏住) 입니다.** 번뇌를 끊지 않고 그것을 조복시켜 머물게 하여 번뇌가 작용을 일으키지 않게 하면 결정코 왕생할 수 있습니다. 만약 진실로 **견사번뇌를 끊는다면 범성동거토에 왕생하는 것이 아니라 방편유여토에 왕생합니다.** 그래서 우리들 공부는 번뇌를 조복시키려고 하는 것입니다. **어떤 방법으로 조복시킵니까? 한마디 부처님 명호를 집지하는 것입니다.**" 《불설아미타경요해》, 정공법사(비움과소통)

임종시에 저는 이런 사람을 보지 못했습니다. 이런 일은 잘 설명하기가 어렵습니다. **늘 마음에 걸리는 일이 많아 내려놓지 못합니다. 그래서 부처님께서는 언제나 당신에게 평상시 내려놓아야 한다고 가르치십니다.** 출가인은 재가인에 비해 어느 부분에서 이롭습니까? 출가인은 가업이 없어서 비교적 간단하고 용이합니다. 그러나 현재 출가인은 그렇지 못합니다. 모두 재산이 있고 은행에도 예금이 있어서 임종시에 내려놓지 못합니다. 예전 출가인들은 재산이 없었고 바루 하나에 옷 세 벌로 비교적 내려놓기 쉬웠습니다. 임종시 그에게 조념을 해주면 "내가 진실로 왕생하는구나!" 생각하였습니다. 현재 출가인은 그렇지 못합니다. "내게 사찰이 있고 많은 재산이 있는데, 내가 고생스럽게 경영해온 것을 남이 빼앗아 가지 않을까?" 걱정합니다. 당신 자신이 평생 일군 삶이 사라져버립니다. 이런 일로 크게 괴롭습니다.

그래서 염불을 포함해서 팔만사천 법문을 막론하고 입류의 공부는 수행의 총강령이라는 점을 반드시 기억해야 합니다. 당신이 의식의 마음을 쓰던 쓰지 않든 간에 보리심을 쓰는 것이 모든 법문에서 원칙입니다. 그래서 이 공부를 중지해서는 안 됩니다. 생각생각 꺼내야 합니다. 이것을 깨달음(覺)이라 합니다. 고인께서는 **"망념이 일어나는 것을 걱정하지 말고 깨달음이 더딜까 걱정하라(不怕念起 只怕覺遲)"**라고 하셨습니다. 이 깨달음이 바로 입류入流로 당신은 이것을 잃어버리지 않을까 걱정하십시오. 들어가지 못하면 바깥으로 나와서 마음은 경계에 따라 구릅니다. 당신은 경계 안에서 명성과 이득을 일으키고, 탐 · 진 · 치 · 교만을 일으키며, 마음은 바깥으로 뛰쳐나갑니다. 만약 흐름에 들어가면 결정코 명성과 이득이 없고, 탐 · 진 · 치 · 교만이 결정코 없습니다. 그의 마음은 청정하고 평등합니다. 비록 진실한 평등이 아닐지라도 바깥으로 드러난 태도는 확실히 평등합니다. 진실한 평등이란 무엇입니까? 삼마지에 들어가야 진실한 평등입니다. 이때 평등을 향해 길을 걸어갑니다. 그래서 그의 드러난 모습은 평등하고 그의 마음은 청정합니다. 이것을 「진실한 공부」라고 합니다.

현재 몇몇 출가인은 젊어서 박사학위를 받으려고 합니다. 이것이 없으면 장래 홍법을 하고 중생을 이롭게 하는데 좋지 않다고 생각합니다. 그가 성공할 수 있겠습니까? 결정코 성공할 수 없습니다. 왜 그렇습니까? 마음이 모두 바깥 반연으로 향하고 입류 공부를 하지 않기 때문입니다. 육조대사께서는 글자를 몰랐지만, 오늘날 전 세계에서 육조대사를 어느 누가 존경하지 않습니까? 그는 입류 공부를 하였습니다. 학위를 받으면 무슨 쓸모가 있습니까? **"세간의 명성 · 이득에 기만 당하지 말라!"** 그 당시 편융遍融선사께서 연지蓮池대사에게 가르쳐 주신 말씀입니다. 연지대사께서 참방하러 가셨을 때 삼보일배를 하면서 경건하게 노화상님 면전에서 절을 하고서, 노화상께 한줄기 밝은 길을 가르쳐주시길 구했습니다. 노화상께서는 한마디 말씀을 가르쳐 주셨습니다. "명성과 이득에 기만 당하지 말라!" 연지대사께서는 일생에 성취하셨습니다. 노화상의 이 말에 힘을 얻어 변함없이 착실하게 수행하여 정토종의 조사가 될 수 있었습니다.

2. 고요함의 매듭을 풀다

대상과 들어감이 이미 적정하여서, 움직임과 고요함의 두 가지 모습이분명하여 생기지 않습니다.

所入既寂 動靜二相 了然不生

두 번째 구는 고요함의 매듭을 푸는 것입니다. 이 경계는 색수상행식色受想行識 오음五陰에서 바로 색음色陰의 구역을 깨뜨리는 것으로 소승 아라한의 경계에 상당합니다. 소승小乘 나한羅漢은 초과初果부터 나한이라고 합니다. 초과는 만약 소승의 수학방법을 비추면 번거로운 일이라고 말씀드리겠습니다! 중국인은 번거로운 일을 가장 싫어합니다. 중국인은 성격상 간단하고 명료한 것을 좋아합니다. 중국인은 번거롭지 않게 간단명료하게 말합니다. 소승이 초과를 증득한 것을 말하면 바로 견도위見道位로 삼계 88품 견혹見惑을 끊어야 하는데 상당히 번거롭습니다. 앞의 두 매듭을 풀면 소승의 견도위에 상당합니다. 이 방법을 사용하면 소승인이 사용하는 다른 방법에 비해 매우 간단한데, 거두는 효과는 같습니다. 소승이 거두는 효과에 비해 수승합니다. 왜냐하면 소승은 마음속에 매우 무거운 집착이 있습니다. 그는 다시 3계 81품 사혹思惑을 다 끊어야 아집을 깨뜨릴 수 있지만, 법집은 그대로 있습니다. 그래서 대승불법은 이 방법으로 소승의 경계에 상당하는 공부이지만, 소승인에 비해 훨씬 더 가볍습니다.

3. 근의 매듭을 풀다

이와 같이 점차 증장하여 듣는 주체와 듣는 대상이 다하고, 들음이 없어진다.

如是漸增, 聞所聞盡

「**여시점증**如是漸增」, 이것은 바로 중단 없이 공부하며 앞으로 전진하는 것입니다., 이 경계 가운데 절대 중지하지 않고, 중단 없이 향상하며 정진합니다. 「**문소문진**聞所聞盡」, 이것은 바로 「근결根結」입니다. 근의 매듭은 반드시 움직임과 고요함의 두 경계가 사라져야 합니다. 그때 비로소 근의 매듭이 현전합니다. 고인께서 《능엄경》

을 주해하실 때 비유를 들었습니다. 즉 여섯 매듭은 우리가 여섯 벌 옷을 입은 것과 같습니다. 우리가 바깥에서 한 벌만 보일 뿐입니다. 반드시 바깥 한 벌을 벗어야 안쪽 한 벌이 보입니다. 근의 매듭은 바깥으로부터 세 번째입니다. 앞쪽에서 두 번째 옷을 벗어야 세 번째 옷이 보입니다. 일반인은 발견하기가 매우 어렵습니다. 우리가 현재 체득할 수 있는 것은 바로 접촉하고 있는 움직임(動)입니다. 일체가 모두 움직임의 모습(動相)입니다. 바깥 경계도 움직이고, 우리의 마음도 움직입니다. 고요함(靜)에 대해서는 우리는 상상할 수 있고 이해할 수 있으나, 고요함의 경계에 들어갈 수 없습니다. 근에 대해서는 그것을 알 수 없습니다. 이는 바로 바깥 한 벌과 안쪽 한 벌이 조금 잘 보일 뿐이고, 다음 안쪽과 다음 안쪽은 알지 못합니다. 반드시 안쪽의 두 매듭을 풀어야 세 번째 근의 매듭이 나탑니다. 나타나면 그것을 깨뜨릴 수 있습니다. 당신의 공부가 다음으로 계속해서 중단하지 않고 정진합니다. 선정의 힘이 갈수록 깊어지고 근의 매듭도 풀립니다. 근의 매듭이 풀리는 현상은 무엇입니까? 느끼는 주체(能受)와 느끼는 대상(所受)이 사라져서 수음受陰이 깨뜨려집니다. 당신 자신에게 감수感受가 있습니다. 수受는 바로 근 풀림의 작용으로 느끼는 주체도 그것이고, 느끼는 대상도 그것입니다.

이 매듭을 깨뜨린 후 이 공부는 우리에게 늘 조주照住를 말합니다. 염불법문으로 말하면 사일심불란을 얻는 것이고, 바로 염불삼매를 얻는 것입니다. 삼매는 **정수**正受입니다. **느끼는 주체와 느끼는 대상이 모두 사라져야 정수라고 합니다.** 앞쪽에서 경안을 얻은 것과 다릅니다. 당신 자신에게 감수가 있습니다.

「나의 마음은 청정하기 쉽다」, 당신에게도 이런 느낌이 있습니다. 바꾸어 말하면 당신에게 근의 매듭이 존재합니다. 이런 느낌은 정상이 아닙니다. 그래서 이것은 허용할 수 없습니다. 느낌이 있으면 비록 청정한 느낌에 아직 이르지 않았을지라도 그것은 모두 장애이고, 정수가 아니며, 삼매가 아닙니다. 어떻게 해야 합니까? 계속해서 중단 없이 입류 공부를 하고 반조공부를 하십시오.

4. 깨달음의 매듭을 풀다

과위에 머물지 않아, 깨달음과 깨달음의 대상이 모두 공하다.

盡聞不住, 覺所覺空

다음으로 일보 전진하면 「**들음이 없어져도 과위에 머물지 않아, 깨달음과 깨달음의 대상이 모두 공한**」 경계가 나타납니다. 세 번째 매듭이 풀리고 네 번째 매듭이 현전합니다. 네 번째 매듭은 「깨달음의 매듭(覺結)」으로 바로 당신에게 깨달음이 있습니다. 느낌이 사라지고, 느끼는 주체도 느끼는 대상도 사라지며, 깨달음이 있습니다. **깨달음은 여전히 장애입니다. 왜 그렇습니까? 그것은 법집의 장애이기 때문입니다.** 당신에게 그것이 있습니다. 그것은 무명의 근본입니다. 능엄회상에서 「지견 위에 앎을 세우면, 곧 무명의 근본이니라(知見立知 即無明本)」라고 말씀하셨습니다. 그러면 당신 자신 스스로 "나는 깨달음이 있다"고 하고, 깨달음이 있으면 바로 무명입니다. 당신에게 깨달음이 없으면 당신은 범부입니다. 이것은 매우 번거로운 일입니다. 갈수록 경계가 미세해집니다. **깨달음의 매듭을 풀지 못하면 법공을 증득할 수 없고, 법집을 깨뜨릴 수 없습니다.** 그래서 일체 느낌에 이르러 느끼는 주체와 느끼는 대상이 모두 사라지고, 다만 하나의 깨달음의 성품(覺性)이 현전합니다. 우리는 이 경계가 구경의 경계가 아님을 알아야 합니다. 이때에 이르러 **"내가 대각을 증득했다! 내가 성불하였다!" 여기지 않아야 깨달음의 성품이 현전합니다!** 경에서 말씀하신 무상정등정각을 보십시오. 당신이 착각한다면 망칩니다. 마치 당신이 타이완 가오슝高雄시에 가려고 차를 타고 신주新竹에 이르면 가오슝에 도착한 것으로 여겨서 차에서 내리는 것 같아 실제로는 매우 멉니다. 그래서 이 경계를 반드시 잘 알고 예전대로 공부를 중단해서는 안 되고, 계속해서 끊임없이 노력하며 반조返照해야 합니다.

5. 공의 매듭을 풀다

공이 깨달음을 머금고 지극히 원만하여 공이라는 생각과 공한 경계가 소멸한다.

空覺極圓, 空所空滅

깨달음의 주체(能覺)와 깨달음의 대상(所覺)이 모두 공하면 깨달음의 매듭이 풀리고, 이때 「공空」이 현전하나 여전히 공은 장애입니다. 왜 그렇습니까? 왜냐하면 당신에게 공이라는 생각(能空), 공이라는 경계(所空)가 있기 때문입니다. 능공能空은 성품의 흐름에 드는 공부입니다. 소공所空은 깨달음입니다. 깨달음의 주체와 깨달음의 대상이 없어야 공이지만, 여전히 능소能所가 있습니다. 바꾸어 말하면 공성空性이 비록 현전할지라도 공부는 계속 정진이 필요하므로 중단해서는 안 되고 멈추어서는 안 됩니다.

6. 멸의 매듭을 풀다

생이 멸하고 멸의 상도 이미 멸하여 적멸이 현전한다.

生滅旣滅 寂滅現前

이때 바로 마지막 관문인 「**멸의 매듭**(滅結)」입니다. 생멸은 여섯 번째 매듭으로 앞의 다섯 매듭은 전부 생멸법입니다. 당신이 입류의 공부로 그것을 깨뜨려 없애고 소멸시켰지만, 그것은 모두 생멸하는 것입니다. 요컨대 모두 생멸심이라 합니다. 생멸심은 바로 망심妄心이고, 생멸법은 유위법有爲法입니다. **움직임이 멸하니 고요함이 생하고, 고요함이 멸하니 근이 생하고, 근이 멸하니 깨달음이 생하고, 깨달음이 멸하니 공이 생하고, 공이 멸하니 멸이 생하고, 멸의 상이 멸하니 적멸이 생합니다.** 멸滅도 좋은 것이 아니고 유위법입니다. 미세한 유위법으로 이 관문은 매우 끊기 어렵습니다. 이 관문을 끊어버려야 삼마지에 들어갑니다. **삼마지에 들어감이란 무엇입니까? 바로 견성見性입니다!** 우리의 진여본성에는 여섯 겹의 장애가 있습니다. 우리의 진성眞性이 현전할 수 없어 진성 안에 있는 본유의 지혜와 본유의 덕능德能이 뚫고 나올 수 없고 작용할 수 없으니, 이것이 바로 위에서 말한 여섯 가지 장애입니다. 이 여섯 가지 장애를 제거하는 방법이 바로 반조返照입니다. 반조의 방법은 매우 많아서 팔만 사천 법문이 모두 방법입니다. 염불도 방법이고, 관세음보살을 염하는 것도 방법입니다. 방법은 무량무변하지만 원리는 하나이고, 모두 하나의 이치입니다. 그래서 법문은 평등하여 높고 낮음이 없다고 말합니다. 왜 그렇습니까? 모든 방법은 당신이 운영하기에 적합합니다. **여섯 매듭을 모두 풀고 삼공**(아공我空 · 법공法空 · 구공俱空)**을 깨뜨리면 명심견성**明心見性**합니다.**

이곳에 이르면 바로 견성입니다. 《반야심경》에서 말한 「조견오온개공照見五蘊皆空 도일체고액度一切苦厄」과 같습니다. 여기에 이르러도 공부는 아직 원만하지 않습니다. 이것은 당신이 이제 막 견성한 것입니다. 그래서 원교초주圓教初住보살의 지위이라 말합니다. 마치 염불하여 이제 막 이일심理一心을 얻은 것과 같아서 이일심이면 완료된 것이라 여기지 마십시다. 아직도 멀었습니다. 무릇 이때 다시 힘씀用功을 「힘쓸 것이 없는 길(無功用道, 출세간의 공성을 그대로 따르는 길)」이라 하고, 고인께서 이르시길, 「이곳에는 득력을 하지 못한다(此處著不得力)」 하셨습니다. **견성 이후의 공부는 임운任運하여 성취하는 것으로 힘을 쓸 방법이 없으니, 지혜로 관조하는 것이 낫습니다.** 이른바 역사연심(歷事鍊心 ; 일을 거치며 마음을 단련함)[7]입니다. 이것을 반드시 알아야 합니다. 다음 한 층을 깊이 들어가려면 이때 그는 공부를 어떻게 해야 하겠습니까? 《사십화엄四十華嚴》을 보면 나오는 53참五十三參이 바로 이 방법입니다. 53참이 삼마지에 들어간 후 다시 닦아 무상도를 성취하였습니다.

7) "이것은 고금 일체 수행인이 성취한 비결이다. 그래서 수행은 일과 떼어놓을 수 없다. 세간 출세간의 일체 사를 모두 체험해야 하고 모두 인연에 수순해야 한다. 여기서 마음을 닦는다. 어떤 마음을 단련하는가? 마음을 일으키지 않고, 생각을 일으키지 않도록 단련하는 것이 최고다. 만약 일체 사에 대해 마음을 일으키지 않고 생각을 움직이지 않으면 성불한다." 정공법사, 《무량수경과주無量壽經科註》(2015).

선재동자 53참을 보시면 그는 원교초주로부터 시작합니다. **초주보살은 길상운吉祥雲비구로 그는 선재동자에게 어떤 법문을 가르쳐 주십니까? 바로 염불법문입니다. 그래서 명심견성한 보살이 염불하지 않는 사람이 없는 것으로 보아 염불법문의 수승함을 알 수 있습니다.** 우리들 자신이 과거에 진실로 무지하여 지금 막 학불할 때는 염불법문을 업신여깁니다. 이것은 할머니에게 가르치는 것이라 여깁니다. 우리는 이렇게 총명하고 이런 지혜가 있는데, 어떻게 이 법문을 배우지 않습니까? 이후에 경전을 많이 보고서야 부끄럽고 두려운 마음이 생깁니다. 우리가 가장 좋고 가장 최고라고 여기는 것은 불문으로 중생을 접인하는 것이라 잠깐 광고합니다. 광고를 뿌리는 것으로 우리가 볼 수 없는 것은 원래 불법에서 정수가 있는 곳입니다. 우리가 정말 잘못 보고, 볼 줄 몰라서 진정한 보배를 인식하지 못하고, 가짜를 진짜로 여깁니다. 석가모니부처님의 선교방편법이 진실한 법임을 인식하지 못합니다. 오랜 세월이 지나 마침내 똑똑히 이해하게 되어 매우 다행이지만, 이는 정말 보기 드뭅니다. 저도 한생이라도 빨리 서방극락세계에 가서 보살이 되었다면, 또한 이곳에 왔을 리가 없습니다. 이번 일생에 똑똑히 이해하려면 결코 헛되이 지낼 수가 없습니다.

대의법사께서는 《능엄경》에서 이 단락의 말씀을 인용하셨습니다. 「금강삼매金剛三昧」는 바로 삼마지이고, 또 이일심불란과 같은 뜻입니다. 이 단락은 우리의 수행에 대해 말한 것으로 대단히 중요합니다. 우리는 이 이치를 알아야 합니다. 이 방법을 사용할 줄 알면 당신의 공부가 득력할 것입니다. 당신은 수행하는 동안 법희가 충만하고, 마음이 물러날 줄 모르며, 자기가 진보하고 있음을 알고 자기의 경계를 알게 될 것입니다. 당신이 이 방법을 알지 못하면 학불하고 얼마나 오래 수행하였든 관계없이 반신반의하고 마지막에는 믿지 못하게 될 수 있습니다. 고덕께서 이르시길, **"학불 1년에는 부처님이 눈앞에 계시고"**, 지금 막 학불할 때는 매우 열심입니다. **"학불 2년에는 부처님께서 인도에 계시며, "** 공부할수록 늙은 여우가 되어가며 아무렇지 않게 여깁니다. 이때 부처님은 멀어지십니다. **"학불 3년에는 부처님께서 어렴풋하게 변하셔서"**, 사라집니다. 그러면 이치를 잘 모릅니다. 당신이 진정으로 이러한 이치를 잘 알고 수행하면 당신 자신이 느끼게 되고, 부처님과 내가 하루하루 가까워지며, 마치 그와 통신이 갈수록 밀접해지고 감정이 갈수록 깊어지는 것 같아서 매우 재미가 있습니다. 고인(맹자)은 우리에게 **"옛 성현들을 친구로 사귀라(上友古人)"**고 가르쳐주셨습니다. 우리가 불보살과 친구로 사귀면 이렇게 많이 자재해지고, 이렇게 많이 품위가 생깁니다. 아래, 「보문품」에서 말하는 것은 비로 이런 이치를 기초로 합니다. 그래서 관세음보살께서는 비로소 그렇게 큰 능력을 얻고, 우리들과 감응도교하는 작용을 일으키며, 우리가 어떠한 고난이 있어도 이러한 이론 방법에 따라 수학하면 반드시 감응이 있으니, 이치가 바로 여기에 있습니다.

3. 관세음보살의 성불

『대비경』에 이르시길, "이 보살은 불가사의한 위신력으로 이미 과거생 무량겁 중에 부처가 되어 명호를 「정법명여래」라 하였는데, 대비의 원력으로 중생을 안락하게 하고자 하시므로 보살로 나타나셨을 뿐이니라." 하셨다.

《大悲經》云：此菩薩不可思議威神之力，已於過去無量劫中作佛，號正法明如來。大悲願力，安樂衆生，故現爲菩薩耳。」

이 단락의 경문은 바로 보살은 과위를 지니고 인을 행함(帶果行因)에 속합니다. 이는 이른 바 **자비의 배를 거꾸로 타는 것**(倒駕慈航)[8]을

---

8) 도가자항倒駕慈航 : 수행의 목적은 바로 삼계를 벗어나고 인간세상의 고해를 벗어나 극락정토에 왕생하여 영원한 해탈을 얻고자 하는 것이다. 그러므로 일반적으로 수행자는 속히 이 인간세상의 고해를 벗어나 영원히 다시 오지 않기를 간절히 바라지만, 그러나 불보살님께서는 자비하시어 비록 자신이 수행하여 성취하셨을지라도 중생을 불쌍히 여기시기 때문에, 안락한 정토에서 도리어 고난의 인간세상으로 돌아와 모태에 들어가 사람으로 태어난 후에 출가하여 법사가 되어 경전을 강설하고 법을 설하여 중생을 제도한다. 비유하면 자신이 고해를 건넜지만 다시 돌아와 고난의 사람이 고해를 벗어나도록 돕고자 하기 때문에, 불보살의 이러한 행위를 "도가자항倒駕慈航"이라 한다. 관세음보살이나

설명합니다. 보살은 구원의 겁에 이미 성불하였는데, 왜 부처님의 법신으로 중생을 제도하지 않고 보살의 지위로 내려오는 것입니까? 그것은 우리가 경론 가운데 항상 볼 수 있는 장면입니다. 부처님께서는 스승님의 지위에 계십니다. 스승은 반드시 존엄하신 분으로 우리는 스승님을 향해 가르침을 청해야 합니다. 중국의 옛날 예법처럼, 와서 배우는 것은 들었어도 가서 가르치는 것은 듣지 못했습니다(聞來學 未聞往教). 그래서 스승의 도(師道)는 매우 존엄합니다. 설사 세간의 제왕일지라도 스승님이 머물러 계신 자리(南面)는 감히 다가서지도 못하는 것이 옛날 예법으로 매우 귀중합니다. 황제가 스승을 접견할 때는 황제 자신은 동쪽에 서있고, 스승은 남쪽에 서서 군신의 예가 아니라 손님과 주인의 예로 대하였습니다. 이것이 스승을 존중하는 태도입니다. 그래서 공부의 요체(學要)는 바로 배움을 구하는데 있습니다. 관세음보살께서는 현재 스승님의 신분으로 내려오셨습니다. 왜 그렇습니까? 가정교사가 있으면 학생은 스승을 존중하지 않습니다. 가정교사는 내가 와서 가르쳐

문수보살 등은 모두 고불古佛께서 자비의 배를 갈아타시고 이 인간 세상에 와서 고난을 구제하는 것이다. 간혹 고승대덕을 찬탄할 때, 또한 "도가자항倒駕慈航"을 가지고 형용하기도 한다. 다시 말하면, 이미 정과正果를 증득한 성인이 다시 육도로 돌아와 사람들을 고해에서 벗어나도록 돕는 것을 가리킨다. "도가倒駕"는 그가 과지果地에 있으면서 대원大願에 따라 응당 있어야 하는 극락세계에서 우리가 사는 고해 속으로 와서 "자항慈航(자비로운 배)"이 되는 것을 말한다.

달라고 청할 때 어느 때라도 전화를 걸면 오십니다. 내가 오늘 수업을 받고 싶지 않으면 오시지 않습니다. 부르면 오고 가라면 가는 것에 어찌 스승의 도가 있겠습니까? 학생이 배움을 구함에 있어 스승에게 존중하는 마음이 없으면 아무것도 배울 수 없습니다. 오늘날 배움을 구한다고 말함은 도를 구함도 아니고 학문을 구함도 아닙니다. 무엇을 구합니까? 과학기술의 지식을 구함이지, 도를 구하고 배움을 구함에는 이르지 못합니다. 고덕께서 말씀하신 것처럼 일분의 공경심이 있으면 일분을 구할 수 있고, 양분의 공경심이 있으면 양분을 얻을 수 있지만, 공경심이 없으면 아무것도 구할 수 없습니다. 불법에서 말하는 것은 이런 도로 **공경심이 없으면 도를 얻을 수 없고, 설사 불법을 들을지라도 요체를 들을 수 없습니다.**

그런 까닭으로 부처님께서는 진정으로 자비가 지극하셔서 자기의 신분을 낮추어서 "나는 보살 지위에 있다"고 하십니다. 보살의 신분은 우리들과 같이 배우는 신분으로 같은 학교 동창처럼 그는 졸업생이고, 우리는 후배로 만날 뿐입니다. 선배가 말하면 스승처럼 그렇게 엄격하지 않고 비교적 편하게 말할 수 있습니다. 스승은 편하게 말할 수 없어서 학생이 청하지 않으면 가르쳐주는 법이 없습니다. 그러나 선배 동학이면 가능합니다. 동학은 청하지 않는 벗의 역할을 할 수 있습니다. 당신이 나에게 청하지 않아도 나는 당신에게 가르쳐 줄 수 있고, 배우고 싶은 마음이 없어도 당신이 배우도록 하여도 괜찮습니다. 동학은 가능하지만, 스승은 안 됩니다. 스승의 존엄함을 반드시 지켜야 합니다. 그래서 부처님의 신분은 스승의 신분이므로 보살의 신분으로 내려오셨습니다. 바로 스승의 신분으로 중생을 교화하시는 것이 아니라 동학 선배의 신분으로 중생을 교화하십니다. 이렇게 중생을 접인하는 것에는 수많은 방편이 있습니다. 그래서 어떤 부처님이시든지 이 세계에서 성불하고 저 세계에 오셔서 보살의 신분으로 교화하십니다. 이런 상황은 우리들 현재의 학교와 비슷해서 부처님께서는 교장과 비슷하여 반드시 그의 존엄을 유지하고, 교사는 보살과 같아서 매우 편하게 가르칩니다. 그는 이 학교에서는 교장이지만, 다른 학교에서는 보살로 교사 역할을 합니다. 제불보살님께서는 이와 같이 불법을 시현하시어 두루 무량무변하게 말씀할 수 있습니다.

이 때문에 관세음보살은 성불하여 다시 오신 분으로 능엄회상에서 초주보살의 모습을 시현하셨습니다. 여러분에게 드린 《화엄선독華嚴選讀》의 관세음보살장에서는 제7회향의 지위에 있는 보살을 시현하십니다. **그가 시현한 신분은 보살의 신분으로 초주로부터 등각에 이르기까지 41위차의 보살을 모두 다 시현하시어 중생을 두루 제도하십니다.** 《보문품》에서는 삼십이응신, 무량무변한 신분으로 시현하심을 알아야 합니다. 관세음보살께서는 구경에 어떤 신분이라고 말할 수 있습니까? 어떤 신분이든 모두 존재하고, 같은 몸으로 나타나지 않는 부류가 없습니다.

영조대왕 때 아미타부처님이 현씨 부인에게 말씀하셨다.
"너희들 대중은 여러 경전과 불 · 조사의 말씀을 믿고 들어라.
무수한 방편을 설하셨느니라. 이러한 까닭에 상근기와 중근기는
정법(正法: 혹은 戒法)과 상법(像法: 계법과 유사함)이 견고하여
득도하지만, 하근기의 말법시대에는 여러 문이 열려 있거나 혹은
닫혀 있는 것이니라. 말법시대에 일어나야 할 가장 적당한 수행은
정토문이니 왕생을 구하여 염불(아미타불)하는 사람은 누구든지
극락세계에 왕생할 것이니라."
- 염불보권문(念佛普勸文)

4. 관세음보살보문품 현의

보문품 현의에 이르시길, "관세음이란 서방정음으로 아야파루길저수(Avalokitêśvara)로 관세음이라 이름한다. 관이란 관하는 지혜이고, 세음이란 관하는 대상 경계이다. 염하고 관한 즉 밝아서 어둡지 않고 또렷하여, 늘 알아 우뚝 홀로 존재하며, 돌이켜 관하고 홀로 비추는 까닭에 「관」이라 부른다."

別行玄云：「觀世音者，西方正音名阿耶婆婁吉底輸，此云觀世音。觀者能觀之智，世音者所觀之境。念觀則明明不昧，了了常知，卓然獨存，返觀獨照，故稱觀也。」

「별행현의別行玄云」, 별행別行은 바로 묘법연화경의 한 품(제25품)입니다. 옛 대덕께서는 이것을 법화경 안에서 단독으로 꺼내어 유통하였으므로 별행이라 합니다. 이 한 품을 단독으로 유통한 것이 너무 너무 많습니다. 현玄은 현의玄義로 바로 《별행소別行疏》 현의에 이르길, **「관세음이란 서방정음으로 아야파루길저수이다」** 하였다. 이것은 범어로 번역하면 그 뜻이 관세음이라 하고, **「관이란 관하는 지혜이고, 세음이란 관하는 대상 경계이다」**라고 말합니다. 관하는 대상 경계에는 또 네 가지가 있습니다. 관하는 주체의 지智는「입류망소入流亡所」, 바로 돌이켜 듣는 공부에 있습니다. 이것은 매우 중요합니다. 지智는 변별하는 식이 아니라[9] 무분별지입니다. 분별이 있으면 식識이라 하니, 바로 제6식입니다. 분별이 있고 집착이 있어 제6식, 제7식이면 지智가 아닙니다.

지智는 무분별지입니다. 바꾸어 말하면 청정심 소기所起[10]의 작용입니다. 청정심은 비추는 주체이고 비추는 작용은 관지觀智입니다. 고덕께서는 늘 물에 비유하셨습니다. 즉 물은 풍랑이 없이 잔잔할 때 거울과 같아서 청정심에 비유되고, 바깥의 모든 경계를 또렷하게 비추어서 무분별지에 비유됩니다. 당신의 마음이 움직이면 마치 수면에 물결이 일어나는 것과 같아서 물결이 있어나면 그것은 작용하지 않습니까? 작용합니다. 그것은 비출 수 있지만, 완전하게 비추지 못합니다. 왜 그렇습니까? 그것은 한계가 있습니다. 그것에 물결이 일 때 그것은 일부분만 비추고 게다가 또렷하지 않습니다. 우리의 마음이 움직이지 않아 청정할 때 소기의 작용을

9) "지智는 조견照見으로 속제俗諦를 알고 혜慧는 변별로 진제眞諦를 비춘다. 바꾸어 말하면 지는 비추는 공능이 있고 혜는 감별하는 작용이 있다. 유위의 사상事相을 통달하면 지가 되고 무위의 공空을 통달하면 혜가 된다. 일체 법을 비추어 불가득이고, 일체 법을 통달하여 확실히 장애가 없어야 진실한 지혜이다." 《반야바라밀다심경강기般若波羅蜜多心經講記》, 정공법사.

10) 하나의 연이 능기이고 여러 인연이 함께 과에 미치는 것은 소기이다(一緣是能起多緣及果俱是所起), 《화엄경탐현기華嚴經探玄記》, 법장法藏스님.

지智라 하고 확실히 분별이 없습니다. 분별이 없을 지라도 일체가 명료합니다. 분별이 없음은 아무것도 모른다는 말이 아니라 분별이 있는 것 보다 명료하고 진실합니다. 그래서 이를 지智라 합니다. 범부가 쓰는 마음은 망심妄心이고 분별심이며 집착심입니다. 그래서 그것을 식識이라 합니다. 교광交光법사께서는 《능엄정맥楞嚴正脈》에서 **사식용근**捨識用根을 거듭 제창하셨습니다. 바로 집착 · 분별을 버리고 무분별지를 쓰는 것을 근본으로 삼아 인을 닦아야 비로소 무상보리無上菩提를 성취할 수 있습니다.

중국에서는 자고이래로 세간법과 불법의 교학教學이 모두 근본지根本智로부터 시작하였음을 명백히 알아야 합니다. 당대원唐大圓거사께서 《유식신재힐휘唯識新裁擷彙》에서 이 문제를 제시하셨습니다. 대단히 감탄스럽게도 중화민국(1912-) 이래 모든 교육제도는 근본지로부터 공부하는 것이 아니라고 말씀하셨습니다. **근본지가 없으면 후득지**後得智**가 없습니다**. 이것이 오늘날 우리가 수학하여도 성취하기 매우 어려운 제일 중요한 원인입니다. **근본지의 수학은 바로 암송**(背誦)**에 있습니다**. 그래서 암송은 불법에서 뿐만 아니라 종전의 독서도 모두 암송에서 시작했습니다.

근본지를 훈련하는 방법은 경전을 암송하는 것입니다. 한 마디 한 마디 매우 또렷하게 염송합니다. 한 문구 한 글자도 틀리지 않도록 염송하라고 가르쳤습니다. 어떤 뜻인지도 모르고 그저 암송할 뿐입니다. 학생은 바로 분별하지 않고, 스승은 강설하지 않습니다. 이런 스승을 「**계몽의 스승, 근본 스승**」이라 합니다. 이런 스승이 가장 중요합니다. 이 단계에서 학생은 모든 것을 매우 능숙하게 암송하게 되는데, 스승의 책임은 그가 암송하는 것을 감독하는 것입니다. 암송한 후에 1백번 이상 암송하도록 독촉합니다. 이렇게 암송하면 한평생 잊지 않습니다. 불법에서 선재동자는 스승이신 문수보살 아래에서 이런 본사本事를 배웠습니다.

불문에서도 이와 같습니다. 천태종의 예를 들면 5년간 《법화경》을 암송해야 합니다. 암송을 할 수 없으면 강당에서 경전 강설을 들을 자격이 없습니다. 《법화경》을 암송할 뿐만 아니라 천태지자 대사께서 지으신 《법화경문구法華經文句》, 《법화현의석참法華玄義釋籤》, 《마하지관摩訶止觀》 이 삼부를 반드시 암송해야 합니다. 그래서 천태종의 경전 논서를 5년 동안 완전히 암송해야 천태를 배울 자격이 있었습니다.

고인의 성취가 바로 진정한 공부라 할 수 있습니다. 우리가 현재 하는 어떤 공부도 성취라 할 수 없습니다. 우리가 오늘날 옛날 사람보다 어느 한 가지라도 잘할 수 있는 것이 있습니까? 한 가지 있다면 우리가 물질적으로 누리는 것이 옛날 사람보다 훨씬 많습니다. 이것을 제외하고 옛날사람보다 나은 것은 없습니다. 옛날 사람이 이렇게 수학해도 삼악도에 떨어지지 않을까 걱정하셨습니다. 반드시 근본지를 써서 관조해야 합니다. 근본지의 중요성을 인식하고 무분별지를 착실하게 훈련해야 합니다.

「**능관**(能觀)」은 바로 관지觀智로 근본지입니다. 「즉 밝아서 어둡지 않고 또렷하여, 늘 알아 우뚝 홀로 존재하며, 돌이켜 관하고 홀로 비추는 까닭에 「관」이라 부른다(則明明不昧 了了常知 卓然獨存 返觀獨照 故稱觀也)」, 바로 위에서 말한 입류入流입니다. 「**소관**所觀」, 이것은 경계입니다. 관세음보살께서는 이 방법으로 이근으로 들어가기 때문입니다. 이근은 소리가 들어가는 대상입니다. 그는 대세지보살께서 쓰는 (육근원통의) 법문과 달리 (이근원통의) 이 법문을 씁니다. **대세지보살께서 쓰는 것은 「육근을 모두 거두어들이는 것(都攝六根)」입니다. 관세음보살께서는 육근 중에서 단 하나의 근, 이근만을 사용합니다.** 이 점만 서로 다르고, 관조와 입류는 같습니다. 이 두 분 보살께서는 모두 염불인의 본보기이자 공부의 모범이십니다. 우리는 대세지보살처럼 육근을 모두 거두어들이는 방법으로 수행해도 좋고, 관세음보살처럼 이근을 거두어들여 수행해도 좋습니다. 모두 대단한 성취가 있습니다.

관하는 대상에는 정각의 소리가 있고, 중생의 소리가 있으며, 기세간의 소리와 잡류의 소리가 있는 까닭에 「세음」이라 한다. 주체와

대상을 합쳐서 표시하고 경계와 지혜를 쌍으로 드는 까닭에 「관세음」이라 한다.

所觀則有正覺之音，衆生之音，器世界之音，雜類之音，故稱世音也。

「음音」에는 「**정각지음**正覺之音」이 있습니다. 정각의 소리는 바로 법음法音입니다. 우리가 오늘 강당에서 강경 설법을 하고 있는데, 이것도 정각의 소리에 속합니다. 또한 「**중생지음**衆生之音」이 있습니다. 중생의 소리는 바로 우리의 일반적인 대화, 언어입니다. 또한 「**기세계지음**器世界之音」이 있습니다. 기세계는 예를 들면 바람도 소리가 있고, 비도 소리가 있으며, 심지어 몇몇 악기도 기세계에 포함됩니다. 또한 경쇠, 목탁도 기세계입니다. 그것을 칠 때 소리가 있는데, 이를 기세계의 소리라고 합니다. 현재 모든 악기 연주의 소리도 기세계의 소리에 속한다고 말할 수 있습니다. 수많은 사람들은 교향악을 좋아하는데 이것도 기세계의 소리입니다. 우리가 부르는 노래는 중생의 소리입니다.

또한 「**잡류지음**雜類之音」이 있습니다. 잡류의 소리에는 육도 귀신의 소리도 포함됩니다. 잡류의 소리는 어디에서 볼 수 있습니까? 수많은 신주神咒가 있는데, 이들은 모두 잡류의 소리입니다. 그것은 우리들 세간의 언어가 아닙니다. 비록 범어로 번역되었지만, 인도 사람도 알아들을 수 없습니다. 주문의 글자는 귀신의 소리가 매우 많아 당신이 매우 정확하게 소리 내어 염하면 귀신을 부를 수 있습니다. 귀신을 불러서 그 밖에 한 가지 주문을 염하여 그에게 가달라고 청하여 배웅할 수 있습니다. 그래서 신주는 귀신을 부릴 수 있고 귀신을 위해 명령을 내리는 말을 하는 것과 같습니다. 그러나 그 소리가 반드시 정확해야 합니다. 정확하지 않으면 말해도 알아듣지 못하고 효과가 없습니다. 그래서 발음이 매우 정확해야 하지만 정확하고 확실히 발음하는 것은 상당히 어렵습니다. 말하자면 실제로 매우 간단합니다. 주문이 비록 그것을 번역하여 잘 유지한 원음일지라도 반드시 전수해주는 사람이 있어야 합니다. 전수해주는 사람이 없다면 글자대로 염해도 정확하지 않습니다. 우리가 현재 주문을 염하는 것은 기념하는 뜻으로, 아무리 성심 성의껏 주문을 염해도 소리가 정확할 리가 없습니다. 왜냐하면 석가모니부처님께서 3천여 년이나 매우 오래전에 전하여 소리가 변했기 때문에 정확하지 않습니다.

주문은 티베트어 발음이 비교적 정확합니다. 티베트어는 직접 범어로부터 변화된 것입니다. 티베트어에서 범어의 원음이 그대로 보존된 음이 매우 많습니다. 중국의 고음古音은 광동말廣東話에 있고, 심지어 민남어閩南語에 몇몇 그대로 보존되어 있지만, 국어國語에는 거의 없습니다. 예를 들면 나마拿摩는 고음입니다. 현재 「나무」의 음은 많이 변했습니다. 우리가 나南를 염하고 무無를 염하여 이 글자대로 염하면 잘못 염한 것은 없지만, 옛날 사람은 알아들을 수 없습니다. 오늘 우리는 신주에 대해 경건하게 염할 뿐, 집착·분별하지 마십시오. 그것은 우리의 무분별지·근본지를 훈련하는 매우 좋은 수단입니다. 이것을 잡류의 소리라고 합니다. 이러한 소리를 총칭하여 「세음世音」입니다.

"주체와 대상을 합쳐서 표시하고 경계와 지혜를 상으로 드는 까닭에 관세음이라 한다. 「보普」는 두루 미친다는 뜻으로 행이 법계에 가득 차고, 마음을 따라 감응하여 일체 중생을 이롭게 하며, 법성에 맞게 두루 미치는 까닭에 「보」라 한다. 「문」은 통달한다는 뜻으로 막힘 없이 출입하고, 법법마다 온전히 드러나고 사사에 걸림이 없는 까닭에 「문」이라 한다. 이 보살은 부사의신력으로 법계를 남김없이 비추고 만상은 흘러 움직여서 네 부류의 소리는 각각 다를지라도 두루 색신을 나투어 근기에 따라 설법하여, 행이 미묘하고 감응이 원만하며 장애 되는 것이 없는 까닭에 「관세음보살보문품」이라 한다."

能所合標，境智雙擧，故云觀世音。普是遍義，行彌法界，隨心益物，稱體而周，故爲普。門是通義，出入無壅，法法全彰，事事無礙，故爲門。此菩薩不思議神力，照窮法界，萬像流動，殊音異類，普現色身，隨機說法，妙行圓應，無所障礙，故云觀世音菩薩普門品。

「능소합표能所合標 경지쌍거境智雙擧 고운관세음故云觀世音」, 이것은 보살을 왜 관세음이라고 하는지 해석한 것으로 이름이 지닌 뜻의 기원을 말합니다. 「보시편의普是遍義」 바로 보편입니다. 「행미법계行彌法界」, 행行은 보살이 중생을 이롭게 하는 사업입니다. 실제로 가장 보편적으로 말하면 진허공 · 변법계에 중생이 있는 곳은 어느 곳이든 보살께서 가셔서 중생을 위해 복무하고 중생을 도와서 중생의 원과 기대를 만족시킵니다. 그래서 구함이 있으면 반드시 응합니다. 이것이 보普의 뜻입니다.

「수심익물隨心益物」, 익益은 이익이고 물物은 일체의 인人 · 물物로 구법계의 유정중생을 포함합니다. 만약 인만 이롭게 한다면 인은 천 · 아귀 · 축생을 포함하지 않습니다. 물物에는 이들이 모두 다 포함됩니다. 동물 · 식물 · 광물이 모두 다 포함됩니다. 그래서 물의 범위는 사람을 범위보다 훨씬 큽니다. 수심隨心, 이 두 글자의 뜻은 매우 깊지만, 여기서 상세히 설명할 수 없습니다. 《능엄경》을 연구하면 중생심에 따라 알고 있는 양에 감응하여(隨衆生心 應所知量) 일체중생을 이롭게 합니다. 「칭체이주稱體而周」, 체는 법성(法性; 진리의 본체)이고 주周는 두루 미침입니다. 오직 법성에 칭합稱合함이 있어야 두루 미칩니다. 이 네 글자는 체득하기가 쉽지 않습니다, 조금 알기 쉽게 말하면 "평등한 마음을 쓰면 분별이 없어 두루 미친다."는 뜻입니다. 분별이 있으면 내가 좋은 일을 하여도 단지 한 사람만 이롭게 하지만, 분별이 없으면 선한 일 하나도 진허공 · 변법계에 미칩니다. 그래서 「보普」라 합니다.

「문門」은 통달한다는 뜻입니다. 「**문시통의**門是通義, **출입무응**出入無壅」은 바로 장애가 없음입니다. 「**법법전창**法法全彰」, 창彰은 분명히 드러남으로 안에 숨겨져 있는 것이 없이 전부 다 노출되어 있다는 뜻입니다. 「**사사무애**事事無礙 **고위문**故爲門」 「**차보살**此菩薩」은 바로 관세음보살입니다. 「**부사의신력**不思議神力 **조궁법계**照窮法界」, 온 법계 전체를 그의 지혜, 그의 청정심 가운데 비추고 있습니다. 거울처럼 비추지 않는 것이 없습니다. 「**만상유동**萬像流動」, 만상萬像은 경계 안의 삼라만상, 바로 십법계十法界 의정장엄依正莊嚴을 가리키고, 유동流動은 일체법의 생멸현상을 가리킵니다. 「**수음이류**殊音異類」, 앞에서 말한 네 부류의 소리는 같지 않습니다. 그는 「**보현색신**普現色身 **수기설법**隨機說法 **묘행원응**妙行圓應」 할 수 있습니다. 원圓은 원만입니다. 「응應」은 중생에게는 감感이 있고, 보살에게는 응應이 있어 감응도교함을 말합니다. 「**무소장애**無所障礙 **고운관세음보살보문품**故云觀世音菩薩普門品」, 이는 「보문품」의 제목에 대한 간단한 소개입니다.

5. 관세음보살보문품 내의來意[11]

또 묘음보살이 형상을 나타내어 설법하니, 온갖 고난을 구제함이 관세음보살과 다르지 않지만, 간략하여 두루 미치지 못하고 미묘하되 원만하지 못하다. 관세음보살은 이 행을 여의지 않고 대천세계에 원만히 감응하지만, 오고 가는 상이 없어 이른바 자재한 업이요 두루 통달하고 시현하여 묘음보살보다 나아가니, 그 실제로는 두 분 성인은 하나의 도에서 서로 시작과 종극이 된다.

又妙音現形說法, 救濟衆難, 與觀音無異, 但略而未普, 妙而未圓, 觀音不離是行, 而能大千圓應, 無去來相, 所謂自在之業, 普門示現, 則進於妙音矣。其實二聖一道相爲終始,

「우묘음현형설법又妙音現形說法」, 묘음妙音은 법화경 「묘음보살품妙音菩薩品」입니다. 묘음보살과 관세음보살의 관계는 매우 밀접하며 마치 형제자매와 같아서 한집안 식구입니다. 왜냐하면 그들은

---

11) 품品이 여기에 있어야 할 까닭을 밝히는 것을 내의(來意; 온 뜻)라고 하였다.

같은 법문을 닦았기 때문입니다. 묘음보살도 두루 몸으로 나타나서 설법합니다. 「구제중난救濟衆難 여관음무이與觀音無異」, 묘음보살품과 「보문품」을 대조해 보면 대동소이함을 알 수 있습니다. 그러면 어떤 부분이 다릅니까? 「단략이미보但略而未普 묘이미원妙而未圓」, 바꾸어 말하면 묘음보살도 일체중생을 구제하지만, 그의 범위는 좁아서 두루 미치지 못합니다. 관세음보살은 실제로 묘음보살의 행을 바탕으로 더욱 발전시켜 법계에 두루 미칩니다. 그래서 찬불게에 「묘음관세음妙音觀世音」으로 그들을 합쳐서 같이 찬탄합니다.

「관음불리시행觀音不離是行」, 관세음보살의 행문은 묘음보살과 같지만 그의 범위가 큽니다. 「이능대천원응而能大千圓應」, 대천大千은 대천세계를 말합니다. 「무거래상無去來相 소위자재지업所謂自在之業 보문시현普門示現 즉진어묘음의則進於妙音矣」, 진進은 진보로 묘음보살에 비해 한걸음 더 나아가고, 묘음보살의 행법을 바탕으로 더욱 발전시켜 법계에 두루미치고 중생을 이롭게 합니다. 「기실이성일도其實二聖一道」, 이 두 분 성인은 묘음 관세음보살입니다. 두 분 보살께서는 동일한 문이고 동일한 길을 걸어서 「상위종시相爲終始」, 묘음보살께서는 시작하고 관세음보살께서는 더욱 발전시켜 극처에 이르러 종극에 도달합니다. 그래서 한 분은 시작이고, 한 분은 종극을 나타냅니다.

그런 까닭에 후에 관세음보살의 덕을 송하여 아울러 묘음이라 하니, 이로써 두 분 성인은 하나의 도임을 알겠다. 묘음보살의 행을 두루 통달하여 발전시키니, 이로써 서로 시작과 종극이 됨을 알겠다. 그러므로 「묘음보살품」을 이어서 「보문품」을 설하니 시작이 있고 종극이 있으며 그런 다음 원만히 갖춘다. 그러므로 「묘음보살품」을 이어서 「보문품」을 설하였다.

故後頌觀音之德，而兼云妙音。是知二聖一道，即妙音之行，而演爲普門，是知相爲終始。欲體前法，須兼二行，從妙而普，有始有終，然後圓備，故繼妙音而說普門焉。[12)]

「**고후송**故後頌」, 게송으로 송합니다. 관세음보살께서는 묘음보살의 행을 더욱 발전시켜 이 법문을 두루 통달합니다. 「**시지상위종시**是知相爲終始」, 종시終始는 시종에 비해 뜻이 더 많습니다. 시종始終은 시작에서 종결에 이르기까지를 말하고, 종시終始는 영원히 완료되지 않은 때를 말합니다. 예컨대 금년 72년으로 마치면 다음 날은 73년이 시작됩니다. 그래서 종시는 이어져서 끊어지지 않는 모습이고, 시종은 단멸하는 모습으로 뜻이 다릅니다. 「**욕체전법**欲體前法 **수겸이행**須兼二行」, 이것은 바로 우리에게 관세음보살을 배워서 두루

12) 《법화경요해法華經要解》, 계환戒環 「관세음보살보문품 제25觀世音菩薩普門品第二十五」 주해.

통달하고 원만히 감응하려면 묘음보살부터 시작해야 함을 가르쳐 줍니다. 왜 그렇습니까?

「**종묘이보**從妙而普 **유시유종**有始有終 **연후원비**然後圓備 **고계묘음이설보문언**故繼妙音而說普門焉」, 보문품은 바로 이렇게 온 것입니다. 묘음보살품으로 말미암아 더욱 발전시키고 비로소 보문품을 설합니다. 이것이 보문품의 내의(來意; 온 뜻)를 설명합니다.

관세음보살의 전체 모습은 삼부경三部經에 있습니다. 이들 삼부경은 모두 독립되어 있지 않습니다. 제1부경은 《화엄경》에 있습니다. 그것은 「입법계품入法界品」 가운데 한 장으로서, 바로 선재동자가 관세음보살을 참방參訪하는 경문입니다. 관세음보살께서는 제7회향의 보살을 대표합니다. 제2부경은 《능엄경》에 있습니다. 부처님께서 강경하신 순서대로 보자면 석가모니부처님께서 성도하신 후 《화엄경》을 첫 번째 강설하셨습니다. 《화엄경》 다음은 아함阿含입니다. 아함 다음은 방등方等으로 《능엄경》은 방등에 속하고 《법화경》 앞에 있습니다. 그래서 제2부는 관세음보살이 《능엄경》 제6권 「관세음보살이근원통장觀世音菩薩耳根圓通章」에 있다고 말합니다. 제3부는 법화회상의 「보문품普門品」입니다. 앞의 두 경은 모두 보살의 수행으로 그가 스스로 어떻게 성취하였는가를 말합니다. 특히 《화엄》에서는 「관자재觀自在」라 부릅니다. 관자재라 부름은 자기 성취에 편중되어 있습니다. 관세음이라 부름은 중생을 이롭게 하는 방면에 편중되어 있습니다. 자수용自受用을 자재라고 부르고, 타수용他受用을 관음 · 대자대비라고 부릅니다. 그래서 「보문품」에서는 자기 수학의 경과를 말하지 않고, 보살이 중생을 이롭게 하는 사업을 전적으로 말합니다. 그것의 내용은 완전히 대천세계에 원만히 감응하여 중생의 고난이 10가지 큰 부류로 귀납되는데, 《화엄경》에서의 십래표법十來表法13)과 같은 뜻입니다.

외부의 재난은 일곱 가지 큰 범주가 있는데 「칠난을 피함(免七難)」이고14), 내부의 재난은 바로 번뇌로 세 가지 큰 범주, 탐 · 진 · 치가 있습니다15). 보살은 당신을 도와 「칠난을 피하고 삼독을 여읠 수 있게 합니다.」 일체중생에게는 여전히 수많은 욕망이 있고 괴로움을 겪지 않으려고 합니다. 그래서 관세음보살께서 「두 가지

13) "《화엄경》은 불가의 구경원만한 교학이다. 그래서 이 안에는 대소승 10개 종파 · 사상 · 방법 · 경계가 원만히 구족되어 있다. 현교顯教 안에서 우리는 《화엄경》이 「십十」 으로 표법함을 본다. 10은 원만을 대표하고 이것은 현교의 원만이다. 《무량수경》 상의 「21구지불토俱胝佛土」는 바로 21표법이다. 16, 21은 밀종의 대원만을 대표한다. 그래서 《화엄경》에는 유현有顯 · 유밀有密 · 유선有禪 · 유정有淨 · 유계有戒 · 유교有教의 불법 10개 종파가 모두 구족되어 있어 「원만한 교학」이라 한다." 정공법사

14) 소리(音)를 관하여 구업口業에서 빼내어 제도하여 칠난을 피함 : 1) 화난火難을 피함 2) 수난水難을 피함 3) 나찰羅刹을 피함 4) 도장난刀杖難을 피함 5) 악귀난惡鬼難을 피함 6) 가쇄난伽鎖難을 피함 7) 원적난怨賊難을 피함

15) 마음(心)을 관하여 의업意業에서 빼내어 제도하여 삼독을 여읨 : 8) 음욕淫欲을 여읨 9) 진에瞋恚를 여읨 10) 우치愚痴를 여읨

구함에 감응함(應二求)」이 있습니다.16) 두 가지의 구함(二求)은 실제적으로 당신이 무엇을 구하든지 막론하고 모두 이것에 포함됩니다. 관세음보살께서 두 가지 구함에 감응하는 것을 단지 아들을 구하고, 딸을 구하는 것일 뿐이라고 보아서는 안 됩니다. 부처님께서 그 당시 강경하실 때 세간인이 가장 중시한 것은 후대後代였습니다. 대개 사람들은 후대에 훌륭한 아들, 훌륭한 딸을 낳고 싶어 합니다. 계속해서 이것은 구할 가치가 있고, 다른 것은 별로 문제가 되지 않습니다. 그래서 이것은 일체 구하는 것 중에서 중요하게 여기는 것이고, 나머지 몇몇 가벼운 것도 당연히 모두 그 가운데 포함됩니다. 이 12가지는 바로 관세음보살의 12대원입니다. 아미타부처님께서 48원으로 중생을 접인하시는 것과 같이 관세음보살께서도 12대원으로 고난으로부터 구하여 중생을 두루 제도하시고, 「묘법」을 세상에 전하십니다. 묘법은 바로 《묘법연화경》입니다. 그래서 이 품은 《법화경》에서 정종분正宗分이 아니라 유통분流通分에 속합니다.

16) 몸을 관하여 신업에서 빼내어 제도하여 두 가지를 구함 : 11) 큰 복덕이 있고 지혜가 있는 아들을 구함 12) 단정하고 아름다운 딸을 구함

한마음으로 관하며 예배하옵니다.
관세음보살께서는 아미타부처님의 화신으로,
들음의 성품으로 사유하고 수행하여 삼마지에 들어가서,
돌이켜 자성을 듣고 위없는 도를 성취하게 하시며,
보살행을 닦고 서방정토에 왕생하게 하십니다.
원력이 크고 깊어 32응신으로 보문시현하시고,
소리를 좇아 고난으로부터 구제하시며,
중생의 근기에 따라 감응하시니,
만약 긴급한 위난 · 공포를 만났을 때라도,
단지 스스로 관세음보살에 귀명하기만 한다면
해탈을 얻지 못할 자가 없습니다.
만억 자마진금 빛깔의 몸을 구족하신 관세음보살님이시여!
나무아미타불!
-〈정토오경일론〉 '정수첩요淨修捷要'-

제2부. 관세음보살보문품 게송 강술

관세음보살의 덕능과 성취에 대해 묻고 답하다

○ 게송은 경문 뒤의 중송으로 구마라즙대사께서 번역하신 것이 아니고, 여러 스승들께서 범본 중에 있는 것을 후대에 비로소 첨가한 것이라 말씀하신다. 26행이 있고 세 부분으로 나뉜다. 첫째 1행은 쌍송이문雙頌二問이고, 둘째 22행은 쌍송이답雙頌二答이며, 셋째 3행은 쌍송이권雙頌二勸이다.

二偈頌文後重頌，什師不譯，諸師皆謂梵本中有，後方添入。有二十六行，分三：初一行，雙頌二問。二二十二行，雙頌二答。三三行，雙頌二勸。

이것은 과판科判입니다. 「**게송**偈頌 **문후중송**文後重頌 **즙사불역**什師不譯」, 즙사什師는 구마라즙鳩摩羅什대사입니다. 구마라즙대사께서 번역하신 《법화경》에는 「관세음보살보문품」이 여기까지이고, 게송이 없습니다. 「**제사개위범본중유**諸師皆謂梵本中有 **후방첨입**後方添入」, 이는 종남산終南山 도선율사道宣律師의 《법화경홍전서法華經弘傳序》에서 이 단

락의 게송은 어떤 사람이 번역하였고 어떤 시기에 보충했는지 설명하고 있습니다.17)

「유이십육행有二十六行」, 26행은 바로 26수입니다. 우리의 판본에는 게송이 오언송五言頌으로 1구가 5글자이고, 4구가 1수입니다. 그래서 1행이 바로 1수로 26행은 게송이 26수가 있는 것입니다. 26수는 세 단락으로 나뉩니다. 「초일행初一行」은 제1수 게송으로 「쌍송이문雙頌二問」입니다. 뒤에 26행은 22수로 「쌍송이답雙頌二答」입니다. 이는 중송重頌입니다. 말후에 3행은 「쌍송이권雙頌二勸」입니다.

A. 쌍송으로 두 가지를 질문하다

---

17) 《법화경》의 현존하는 한역본은 286년에 축법호竺法護가 번역한 《정법화경正法華經》 10권 27품, 406년 구마라즙鳩摩羅什이 번역한 《묘법연화경妙法蓮華經》 7권 27품(후에 8권 28품), 601년에 사나굴다闍那崛多와 달마급다達磨笈가 번역한 《첨품묘법연화경》은 두 번째의 구마라집 역을 보정한 것이다. 이외에 네팔 등지에서 발견된 사본들을 바탕으로 영국인 케른(H. Kern)이 일본의 난조 후미오(南條文雄)와 출판한 산스크리트어 원전이 있는데, 케른은 다시 그것을 영어로 번역해서 1884년 옥스포드에서 《The Saddhamapundarika ; or T-he True Law》라는 제목으로 출판했다.

이때 무진의보살이 게송으로 여쭙기를,

爾時。無盡意菩薩以偈問日。

이것은 의식을 서술한 것입니다. 게송으로 질문합니다. 또한 이것은 찬불입니다. 예불문에서 「향찬香讚」처럼 대부분 찬탄하는 게송입니다.

미묘한 상호 갖추신 세존이시여,
제가 지금 저 일을 거듭 여쭙겠나이다.
이 불자님은 무슨 인연으로
명호를 관세음이라 하나이까?

世尊妙相具。我今重問彼。佛子何因緣。名爲觀世音。

이것은 바로 제1수이다. 제1수에서는 문자 상으로 단지 관세음 보살 명호의 인연만 묻는 것 같지만, 뜻으로는 두 가지 질문을 포함하고 있습니다. 주해에서 매우 분명히 설명합니다.

세존의 미묘한 상호는 만덕으로 장엄되어 있어 상을 찬탄함은 곧 부처님의 덕능을 찬미한 것으로, 저 일을 묻지만 겸해서 다음 질문이 포함되어 있다.

世尊妙相萬德莊嚴，歎相即美德，問彼，兼含次問。

「세존묘상만덕장엄世尊妙相萬德莊嚴」, 「찬상歎相」은 바로 부처님의 지혜와 덕능을 찬미합니다. 왜냐하면 상호는 하나하나 모두 백복百福으로 닦은 것이므로 백복으로 장엄되어 있다고 말합니다. 「문피問彼겸함차문兼含次問」, 문자 상으로는 관세음보살 명호의 유래 하나를 묻지만, 그 속에는 사바세계에서 노니시면서 홍법 · 교화하시는 관세음보살의 이러한 인연을 포함해서 묻습니다. 이는 두 겹의 뜻으로 하나는 드러난 것이고, 하나는 은밀히 머금고 있습니다.

B. 쌍송으로 두 가지에 답하다

▷ 1. 행원을 총괄 찬탄하다.

미묘한 상호 갖추신 세존께서 게송으로 무진의보살에게 답하시되,

그대는 잘 들을지니,
관세음보살의 행지는
일체국토 곳곳마다 가서 잘 응하느니라.
중생제도의 크고 넓은 서원은
바다와 같이 깊어서
부사의한 겁을 지나도록
천억의 많은 부처님 받들어 모시고
청정한 대원을 발하였느니라.

具足妙相尊, 偈答無盡意 :「汝聽觀音行, 善應諸方所, 弘誓深如海, 歷劫不思議, 侍多千億佛, 發大清淨願。

「구족묘상존具足妙相尊」, 부처님께서는 32상 80종호를 원만히 구족하셨습니다. 이는 바로 부처님에 대한 칭찬입니다. 「게답무진의偈答無盡意」, 무진의보살은 게송으로 여쭙자 부처님께서도 게송으로 답하셨습니다.

아래는 22수의 「쌍송이답雙頌二答」으로 두 단락으로 나뉩니다. 첫째 단락은 「총탄행원總歎行願」으로 총답總答이고, 뒤에 있는 22수는 별답別答입니다.

「구족具足」 두 문구는 경을 결집한 사람이 서두로 놓은 것이다. 「여청汝聽」 두 글자는 잘 들을 것을 명령함이다. 「관음행觀音行」이란 일심삼지一心三智로 저 부류의 소리를 관하여 무량한 괴로움에서 일시에 벗어나게 하는 즉, 관세음보살이 이타행을 성취함이다. 진심에서 움직이지 않고 갖가지 형태를 나타내는 까닭에 「선응善應」이라 하였다. 일체 국토 곳곳으로 가는 까닭에 「제방소諸方所」라 하였다. 「홍서弘誓」는 네 가지 크고 넓은 원이다. 「역겁歷劫」이란 무량겁이 지나감이다. 깊이 서원한 까닭에 오랜 시간 물러나지 않고, 시간이 오래될 수록 부처님을 만나고 많이 생각하며, 부처님을 따라 작위하고, 모든 부처님의 행을 닦으니, 바야흐로 「시불侍佛」이라 한다. 부처님께서 계신 처소 한 곳 한 곳마다 모두 청정한 원을 발하고, 보살의 행원이 깊어지고 커지는 까닭에 진실한 지혜로 두루 온갖 괴로움을 뽑아버리고, 응신하여 일체를 제도한다.

具足二句, 經家敍置, 「汝聽」二字, 敕令審諦。「觀音行」者, 一心三智, 觀彼類音, 令無量苦, 一時解脫, 即觀世音成利他之行也。不動眞心, 現種種形, 故云善應。一切國土處處現往, 故云諸方所。弘誓者, 四弘願廣。歷劫者, 經劫難量。以誓深故長時不退, 以時長故值佛惟多, 隨佛作爲, 修諸佛行, 方名侍佛。一一佛所, 皆發淨願, 由菩薩行願深大, 故眞智遍拔衆苦, 應身普度一切也。

총답總答에서, 「구족이구具足二句 경가서치經家敍置」, 경을 결집한 사람이 달아 놓은 것입니다. 「여청관음행汝聽觀音行」에서부터 부처님 말씀입니다. 「여청이자汝聽二字 칙령심체敕令審諦」, 이는 바로 우리가 경전에서 늘 보는 체청諦聽입니다. 자세히(諦) 듣고 꼼꼼히(審) 들음은 지혜로 변별하여 듣는 것으로 맹종이 아닙니다. 「관음행자觀音行者 일심삼지一心三智」, 이 일구는 여덟 글자로 확실히 기억해두어야 합니다. 다른 사람이 관음행이 무엇인가 물어보면 바로 「일심삼지」라고 답할 수 있어야 합니다. 일심一心은 체體이고, 삼지三智는 용用입니다. 삼지三智란 무엇입니까? 일체지一切智 · 도종지道種智 · 일체종지一切種智를 말합니다. 이 세 가지 지혜는 모두 일심에서 흘러나오는 것입니다. 사일심事一心을 이루면 일체지가 생기고, 이일심理一心을 이루면 도종지가 생기거나 일체종지가 생깁니다. 아라한은 견사번뇌를 끊는데, 이는 사일심에 해당합니다. 그래서 아라한은 일체지가 있으나, 도종지는 없습니다. 명심견성明心見性을 하면 원교초주圓教初住 보살로 도종지가 있습니다. 등지登地에 이르면 일체종지가 있습니다. 그래서 십주 · 십행 · 십회향의 삼현보살三賢菩薩은 일체지가 있거나 도종지가 있으며, 초지보살 이상의 십지보살인 지상보살地上菩薩은 삼지를 구족하고 있습니다. 삼지三智는 모두 일심 가운데 생기고, 일심 가운데 흘러나오며, 지혜가 있어야 그 어떤 일도 모두 주관할 수 있습니다.[18]

---

18) "불지佛智로 공空을 비추면 이승二乘에게 보이는 것과 같아 「일체지一切智」라 이름하고, 불지로 가假를 비추면 보살에게 보이는 것과 같아 「도종지道種智」라 이름하며, 불지로 공空 · 가假 · 중中을 비추면 실상이 보이니 「일체종지一切種智」

「**저 부류의 소리를 관하여 무량한 괴로움으로부터 일시에 벗어나게 하는 즉 관세음보살이 이타행을 성취함이다**」, 이는 보살이 중생을 이롭게 하는 사업을 말합니다. 「**부동진심**不動眞心 **현종종형**現種種形」, 진심眞心[19]은 바로 진여 · 실제이지(實際理地; 실상의 자리)로 법신이며, 갖가지 형상을 나툼(現種種形)은 응화신應化身입니다. 「**고운선응**故云善應」, 움직이지 않으면서 응하는 것이야 말로 선善이라 합니다. 「**홍서자**弘誓者 **사홍원광**四弘願廣」, 이 일구는 매우 중요합니다. 우리는 일심삼지 · 사홍원광을 기억해야 합니다. 이것은 특별히 기억해야 하고, 수학해야 하는 부분입니다. 「**역겁자**歷劫者 **경겁난량**經劫難量」, 항심 · 인내심 · 끈기가 있음을 나타내 보이고, 일체 고난을 두려워하지 않으며, 장시간 수학해야 합니다.

「**깊이 서원한 까닭에 오랜 시간 물러나지 않고, 시간이 오래될**

라 이름하는 까닭에 삼지三智는 일심一心 가운데 얻는다고 말한다." 《마하지관》, 천태지자대사.

19) "사람은 누구나 한 점의 신령한 밝음을 갖추고 있다. 그것은 맑고 고요하기 허공과 같아 어디나 두루 있다. 세속 일에 대해서는 방편으로 이성理性이라 이름하고, 행식行識에 대해서는 방편으로 「진심」이라 부른다. 털끝만큼의 분별이 없지마는 인연을 만나서는 어둡지 않고, 한 생각의 취하고 버림이 없지마는 물物에 부딪히면 모두 포섭하여 온갖 대상을 따라서 옮기지 않으며, 비록 흐름을 따라 묘한 작용을 얻더라도 제자리를 떠나지 않고 항상 고요하다. 그러므로 「**찾으려면 그대는 곧 보지 못한다**」하는 것이 곧 「**진심**」이다." 《진심직설 眞心直說》, 보조지눌.

수록 부처님을 만나고 많이 생각하며, 부처님을 따라 작위하고 모든 부처님의 행을 닦으니, 바야흐로 시불侍佛이라 한다.」 이 삼구를 기억해야 합니다. 우리는 불제자를 위해 학습해야 합니다. 부처님께서 어떻게 마음을 보존하는지, 부처님께서 어떻게 작위하는지, 우리는 배워야 합니다. 그래야 「학불學佛」이라 합니다! 학불은 시불侍佛[20]이라 하고, 「시불侍佛」은 바로 부처님을 모시는 것입니다. 부처님께서는 오늘날 세간에 계시지 않지만 우리가 이와 같이 할 수 있다면 아난존자와 같이 부처님과 일보도 떨어지지 않습니다. **「부처님께서 계신 처소 한 곳 한 곳마다 모두 청정한 원을 발하고, 보살의 행원이 깊어지고 커지는 까닭에 진실한 지혜로 두루 온갖 괴로움을 뽑아버리고, 응신하여 일체를 제도한다.」**

좋습니다. 우리는 오늘 이곳에서 강연을 합니다. 경전 강설을 하면서 또 한 번 우리는 오늘 저녁 원만하게 보낼 것입니다. 뒤쪽의 게송이 길지만, 많은 게송은 중송으로 생각하면 됩니다. 중요한 부분은 여러분에게 이미 말씀드렸으므로 한번 보시면 잘 아실 겁니다. 금일 저녁 강경 설법은 원만할 것입니다. 여러분은 현재 이 법회에 있지만, **장래에 우리는 서방극락세계 칠보연못 가운데**

20) "「시불侍佛」이란 항상 마음속에 부처님을 모시고 살아가는 것을 말한다. 행주좌와 어묵동정 간에 잠시도 부처님을 잊지 않고 늘 모시고 받들며 살아가는 생활이다. 그러므로 「시불」이란 항상 불공하는 생활, 기도하는 생활, 엄숙하고 경건한 생활이 된다." 원불교 사전

가서 아미타부처님과 또한 한곳에, 한 법회에 있을 것입니다! 이것이 바로 우리의 원만한 공덕입니다.

▷ 2. 별송으로 두 가지에 답하다

첫째 14행은 게송으로 관세음보살이 이름을 얻은 인연에 답하고, 두 번째 6행은 다음 게송으로 보문시현에 답한다. 처음은 또 둘이 있다. 처음 1행은 게송으로 총답總答하다.

「이二」, 이는 게송에 두 번째 단입니다. 아래 20행이 있으니, 20수로 「별송이답別頌二答」입니다. 이것도 두 단락으로 나누어지는데, 앞쪽 14수는 「답관음득명答觀音得名」입니다. 그 다음 6수가 있는데, 「답보문시현答普門示現」이고, 앞쪽 첫 번째 수는 「총답總答」입니다.

가. 관세음보살이 이름을 얻은 인연에 답하다.

○ 1. 총괄해 답하다.

내 그대를 위해 간략히 말하노니, 보살의 명호를 듣거나, 신상을 보거나 일심으로 지념해 모두 헛되이 보내지 않으면 삼계육도의 갖가지 괴로움을 소멸시킬 수 있느니라.

我爲汝略說。聞名及見身。心念不空過。能滅諸有苦。

요약하여 말하는 까닭에 약설하여 이른다. 「명호를 듣는(聞名)」 까닭에 명호를 부르니, 구업의 근기이다. 「신상을 보는(見身)」 까닭에 예배를 올리니, 신업의 근기이다. 「마음으로 명호를 지념하니」, 어업의 근기이다. 「제유諸有」는 곧 25유로 명호를 듣고서 마음에 새기거나, 형상을 보면서 예배하여 모두 헛되이 보내지 않으면, 삼유의 괴로움을 모두 소멸시킬 수 있다.

擧要言之, 故云略說。聞名故稱, 口業機也。見身故禮, 身業機也。心念, 意業機也。諸有即二十五有, 聞名注念, 見形禮拜, 皆不空過, 悉滅三有之苦也。

대사께서는 주해에서 「요약하여 말하는 까닭에 약설하여 이른다」고 말씀하십시다. 「**문명고칭**聞名故稱 **구업기야**口業機也」, 이는 구업에 속합니다. 「칭稱」은 성호聖號를 칭양함으로 우리가 통상 염불 · 집지명호라고 합니다. 칭자는 바로 입으로 염함입니다. 「**견신고례**見身故禮」, 이는 신업으로 아침 · 저녁으로 예배하는 것입니다. 「**심념**心念」, 이는 어업입니다. 이것이 바로 삼업으로 공경 · 수지하는 것입니다. 「**제유**諸有」, 이는 「25유有」를 말합니다. 25유는 여기서 상세히 설명할 수 없습니다. 불학자전佛學字典과 《교승법수教乘法數》를 참고하십시오. 불법에서는 세간법을 말하는데, 삼계육도三界六道를 25유로 전부 포괄합니다. 그래서 25유는 삼계육도의 모든 괴로움을 말합니다. 통상은 삼고三苦 · 팔고八苦[21]를 말합니다. **"명호를 듣고서 마음에 새기고, 형상을 보면서 예배하여 모두 헛되이 지나치지 않으면 삼유의 괴로움을 모두 소멸시킬 수 있다."** 25유를 귀납하면 욕계유 · 색계유 · 무색계유의 삼유로 귀납되고, 삼유를 전개하면 25유가 됩니다.

이 한 수는 가장 중요하므로 반드시 기억해야 합니다. 이는 석가모니부처님께서 우리에게 말씀하신 것입니다. 부처님의 언어는 《금강경》에서 말한 것처럼 "진심의 말 · 진실한 말이며, 망념의 말 · 거짓말이 아닙니다(眞語者 實語者 不妄語者 不誑語者)." 따라서 부처님

21) "비구들이여! 「고성제苦聖諦」란 곧 이것이니, 이른바 태어나는 괴로움 · 늙는 괴로움 · 병드는 괴로움 · 죽는 괴로움 · 근심하고 비탄하며 고뇌하고 번민하는 괴로움 · 원망하고 미워하는 사람을 만나야 하는 괴로움 · 사랑하는 사람과 이별해야 하는 괴로움 · 구하는 것을 얻지 못하는 괴로움이다. 간략히 말하면 오취온의 괴로움이다." 《전법륜경 강기》(비움과소통).

의 말씀은 가장 의지가 되는 말입니다. 만약 믿지 않는다면 자신이 어리석음을 드러내고 자신에게 장애가 생깁니다.

○ 2. 13행은 게송으로 별답別答하다

첫째 12행은 게송으로 칠난七難을 면함이다.

아래는 13수의 별송別頌으로 바로 「별답別答」입니다. 장행長行의 뜻을 거듭 노래한 것입니다. 게송 한 수 한 수마다 작은 표제標題가 있어 앞쪽 장행과 대조하면 그 뜻이 명료합니다.

이 아래 게송은 장행과 서로 다르고, 또 몇 가지가 늘어났다. 이른바 14무외는 특히 대략 들어서 실로 일체 공덕을 갖추었다. 일체 위급한 난에서 구할 수 있는 까닭에 게송을 덧붙였다.

此下頌，與長行事相不同，又增幾種。謂十四無畏，特擧大略，實具一切功德，能救一切急難，故加頌之。

14무외無畏 · 32응應 · 4부사의不思議는 《능엄경》에 있습니다. 그러나 《보문품》에는 단지 칠난七難 · 삼독三毒 · 이구二求만 있습니다. 이것은 바로 보살의 12대원입니다. 그래서 두 경전을 합해서 참구하면 그 뜻이 대단히 원만해집니다.

1) 불의 난을 면하다

비록 해치려는 마음을 일으켜
큰 불구덩이 속에 떠밀어 넣더라도
저 관음의 명호를 염하여 위신력에 의지하면
불구덩이가 변하여 청량한 못이 되느니라.

假使興害意。推落大火坑。念彼觀音力。火坑變成池。

제1수는 관세음보살을 염하면 불의 난을 면할 수 있음을 노래한 것입니다.

2) 물의 난을 면하다

혹 큰 바다에 표류하여

용과 물고기와 모든 귀신의 난을 입더라도
저 관음의 명호를 염하여 위신력에 의지하면
파도에도 능히 침몰하지 않느니라.

或漂流巨海。龍魚諸鬼難。念彼觀音力。波浪不能沒。

이 뜻은 매우 분명합니다. 이 게송은 관세음보살의 성호를 염하는 것입니다. 그러나 장행에서 말했듯이 「일심칭명一心稱念」을 기억해야 합니다. 염할 때의 경계로 사일심 · 이일심 · 공부성편이 있습니다. 모두 이 표준에 도달해야 재난을 소멸시키고 면할 수 있습니다. 아래 두 수는 장행문에는 없는 것입니다.

3) 수미산에 떨어지는 난을 면하다(加頌)

혹 수미산 봉우리에서
사람에게 떠밀려 떨어질지라도
저 관음의 명호를 염하여 위신력에 의지하면
해처럼 허공에 머물러 있으리라.

或在須彌峰。爲人所推墮。念彼觀音力。如日虛空住。

이는 장행 경문에는 없는 것으로 가송加頌입니다. 「수미須彌」는 높은 산입니다. 요즘 말로 산에서의 조난(山難)입니다. 등산하는 사람이 매우 많은데, 산에서 만나는 재난입니다. 어떤 사람이 해치려고 산 정상에서 당신을 떠밀어 떨어지려고 할 때 일심으로 칭명하면 보살께서 당신을 구해주십니다. 설사 높은 산에서 떨어질지라도 목숨을 잃거나 부상을 당하지 않고 안전을 지킬 수 있습니다.

4) 금강산에서 떨어지는 난을 면하다(加頌)

혹 악인에게 쫓기어
금강산에서 떨어질지라도
저 관음의 명호를 염하여 위신력에 의지하면
털끝 하나 상하지 않느니라.

或被惡人逐，墮落金剛山；念彼觀音力，不能損一毛。

「혹피악인축或被惡人逐」, 「축逐」은 뒤쫓는다는 뜻입니다. 이 게송은 「금강산에서 떨어지는 난(墮金剛山難)」입니다. 이 두 수는 모두 산에서 만나는 조난에 속합니다. 하나는 다른 사람이 밀어서 떨어지는 것이고, 하나는 남에게 쫓기는 것입니다.

5) 원적의 난을 면하다

혹 원수나 도적을 만나 그들이 둘러싸면서
칼을 잡고 해치려고 할지라도
저 관음의 명호를 염하여 위신력에 의지하면
모두 곧 자비심을 일으키느니라.

或值怨賊繞。各執刀加害。念彼觀音力。咸即起慈心。

「치值」는 만남으로, 원가채주를 만나고, 도적을 만나는 재난입니다. 「적賊」은 도적을 말합니다. 무릇 강도와 산적을 만나는 것으로 모두 과거에 원수진 업으로 만납니다. 이들은 병기를 가지고 와서 해치려고 합니다. 당신이 관세음보살의 명호를 염하면 관세음보살께서 은밀히 가지加持하시어 이들 원수와 도적들이 순간 자비심을 일으키게 합니다. 한 수手 물러주어서 숨통을 틔어주는 셈입니다. 그래서 이 재난을 면할 수 있는데 이것은 모두 보살 위신력의 가지입니다.

6) 칼과 막대기의 난을 면하다

혹 국법을 어겨 사형의 고난을 만나
형벌을 받아 목숨을 마치게 될지라도
저 관음의 명호를 염하여 위신력에 의지하면
칼이 곧 동강나느니라.

或遭王難苦。臨刑欲壽終。念彼觀音力。刀尋段段壞。

이는 중송重頌입니다. 「왕난王難」은 바로 사형입니다. 범죄를 지어 사형판결을 받아 형 집행에 이르렀을 때를 말합니다. 종전에는 사형할 때 목을 베었습니다. 이때 관세음보살의 가지가 있으면 막 목이 잘리는 순간 칼날이 갑자기 부러집니다. 이전에는 참형을 감독하는 관리(監斬官)이 이런 현상을 만나면, 반드시 그의 사형죄를 사면하였습니다.

7) 가쇄의 난을 면하다

혹 옥에 갇혀 칼과 쇠사슬로 몸이 묶이고

손과 발에 쇠고랑을 찰지라도
저 관음의 명호를 염하여 위신력에 의지하면
그것에서 풀려나 벗어나느니라.

或囚禁枷鎖。手足被杻械。念彼觀音力。釋然得解脫。

이 게송은 「가쇄의 난을 면함」입니다. 「가쇄枷鎖》란 수감되어 감옥에 갇힐 때 칼과 쇠사슬에 몸이 묶이는 것입니다. 칼(枷)은 사람의 목에 쓰는 것이고, 쇠사슬(鎖)은 몸을 묶는 형구류입니다. 「뉴杻」는 요즘 말로 수갑이고, 「계械」는 쇠고랑으로 족쇄입니다. 관세음보살 명호를 일심으로 칭명하면 보살의 불가사의한 위신력으로 이 같은 재난으로부터 벗어날 수 있습니다. 뒤쪽의 한 수는 장행문에는 없는 것으로 가송加頌입니다.

8) 주술 · 독약의 난을 면하다(加頌)

주술로 저주하고 온갖 독약으로
몸을 해치려고 하는 자는
저 관음의 명호를 염하여 위신력에 의지하면

오히려 본인에게 되돌아가느니라.

呪詛諸毒藥。所欲害身者。念彼觀音力。還著於本人。

「환저본인還著本人」이란 무릇 주술과 독약은 귀신을 부려서 남을 해치려는 것입니다. 이전 사람이 삿된 염이면 비로소 그 해를 입고, 만약 다른 사람이 정념이면 본인에게로 되돌아간다.

還著本人者, 凡呪毒藥乃用鬼法, 欲害於人, 前人邪念, 方受其害。若人正念, 還歸本人。

《비유경》에 이르시길, "어떤 청신사가 처음 오계를 수지하였으나, 나중에 노쇠하여 많이 잊어버렸다. 이때 산중에 목마른 범지가 있었다. 물을 빌러 농부에게 갔는데 일이 바빠서 그에게 물을 주지 못하였고, 마침내 한을 품고 죽었다. 범지는 시체를 일으켜서 귀신에게 살귀를 불러오게 하고 명령하여 말하길, 「저 사람이 나를 욕보였으니, 가서 그를 죽여라.」 산중에 있던 아라한이 이를 알고서 농부에게 가서 말하길, 「그대는 오늘 밤에 일찍 등불을 밝히고, 부지런히 삼보에 귀의하고서, 염송하고 말을 삼가길 굳건히 범하지 않으며, 자비심으로 중생을 생각하면 안온할 수 있을 것이다.」 주인이 가르침대로 환하게 깨달아 염불하고 계를 염송하니, 귀신은 해칠 수 없었다. 귀신의 법은 사람들을 그 살기殺機로 즉시 죽이고자 하지만 저 사람은 죽이지 못하는 덕이 있어 오히려 그 귀신을 부리는 자를 반드시 죽이려고 할 것이다. 그 귀신은 이에 화가

나서 범지를 해치려 하였다. 아라한은 그를 감추어 귀신에게 보이지 않게 하였다. 농부는 오도悟道하였고 범지는 다시 살아났다" 하셨다.

如譬喻經云：「有淸信士，初持五戒，後時衰老，多有廢忘。爾時山中有渴梵志，從其乞水，田家事忙，不及與之，遂恨而去。梵志能起屍使鬼，招得殺鬼，敕曰：《彼辱我，往殺之。》山中有羅漢知之，往田家，語言：《汝今夜早然燈，勤三自歸，誦守口莫犯偈，慈念衆生，可得安隱。》主人如教，通曉念佛誦戒，鬼莫能害。鬼神之法，人令其殺，即便欲殺，但彼有不可殺之德，法當卻殺其使鬼者。其鬼乃恚，欲害梵志，羅漢蔽之，令鬼不見。田家悟道，梵志得活。」

소동파가 이르길, "자비를 잃은 상태로 되돌아가면 마땅히 두 사람 모두 일 없다 할 것이다" 하였다. 나는 소동파의 고명함을 생각하지 못하고, 비속한 말을 하였다. 한마디 말로 되돌아가면 사事가 있고 이理가 있다. 사事에서 말하자면, 삿됨은 바름을 이길 수 없고, 자비는 흉악한 생각을 제어할 수 있다. 지금 바른 마음으로 관세음보살을 염하면 저절로 본연의 상태로 되돌아간다. 비유컨대 피를 머금어 남에게 뿜으면 자기의 몸이 먼저 더러워진다. 머리를 불에 접촉하면 오히려 자기 이마를 태우듯이 저도 모르게 그러하다. 보살이 저 사람에게 벌을 주는 것이 아니고 또 수행인이 심원을 일으켜 저 사람을 드러내는 것이 아니다. 이理에서 말하자면, 삼독 · 십악은 모두 자신의 묘심에서 나오니, 바른 마음으로 관세음보살을 염하여 지혜로써 위신력을 비추고, 흐름으로 돌이켜 들어가 돌이켜 듣고 본래의 진심으로 다시 돌아가면 저 독약 등이 염에 응해 무상지각으로 변화되나니, 본인으로 돌아가지 않으면 누가 돌아갈 것인가?

東坡云「還著失慈，當云兩家都沒事」，吾不意東坡之高明而出此鄙俗語也。還著一言，有事有理，事則邪不勝正，慈能制凶。今以正念觀音，自然還著，喻如含血噴天，返污己身，將頭觸火，反焦己額，不期然而然，非菩薩加罰於彼，亦非行人起心願著彼也。理則三毒十惡，皆出當人妙心，今正念觀音，以智照神力，旋流反聞，復歸元眞彼毒惡等，應念化成無上知覺，不還著本人，而誰著耶？

세상에는 이런 부류의 재난이 확실히 있습니다. 「주呪」는 일종의 사술邪術입니다. 주해에서는 「**범주독약내용귀법**凡咒毒藥乃用鬼法 **욕해어인**欲害於人」이라고 말합니다. 귀신을 부려서 사람을 해치는 부류입니다. 이 밖에 예를 들면 대륙 서남부 묘강苗疆 지역에는 독을 놓는 부류도 이것에 속합니다. 이 부류는 확실히 경전에서 말한 것처럼 주술과 독으로 다른 사람을 해칠 수 없고, 고개를 돌려서 자신을 해치므로 폐단이 매우 많습니다. 여기서는 귀신을 부려서 남을 해치려고 하는 것을 말합니다. **"이전 사람이 삿된 염이면 비로소 그 해를 입고, 만약 다른 사람이 정념이면 본인에게로 돌아간다."** 이 두 문구는 매우 중요합니다. 무당에게는 이러한 술법이 있습니다. 그는 이런 술법을 단지 심술궂게 쓸 수 있을 뿐입니다. 그는 귀신을 보내어 다른 사람을 해칠 수 있습니다. 그러나 귀신은 정인군자正人君子를 보면 무서워서 감히 해치지 못합니다. 이런 일들이 옛사람의 기록 소설에 많이 기록되어 있습니다. 기효람紀曉嵐의 《열미초당필기閱微草堂筆記》에는 이 같은 사례가 매우 많이 있습니다. **진정으로 자신을 보호·방어할 수 있는 길은 마음바탕을 청정히 하는 것임을 알 수 있습니다. 청정심·자비심이 있으면 일체 귀신이 당신을 보고 공경할 뿐, 감히 해를 끼칠 수 없습니다.** 만약 어떤 사람이 귀신을 보내어 당신을 해치려 하면 귀신이 주술을 시킨 사람을 보고서, "이 사람은 정인군자이므로 당신이 그를 해치고 싶다면 당신은 좋은 사람이 아니오"라고 할 것입니다. 그 귀신은 고개를 돌려서 그를 해치려고 하고 보복할 것입니다. 이는 필연적인 이치입니다.

여기서도 이야기 한 토막을 인용하고 있습니다. 《비유경譬喩經》에 있는 이야기 한 단락을 읽어보시면 명료해질 것입니다. "**사事에서 말하자면 삿됨은 바름을 이길 수 없고, 자비는 흉악한 생각을 제어할 수 있다. 지금 바른 마음으로 관세음보살을 염하면 저절로 본연의 상태로 되돌아간다.**" 이 말은 매우 중요합니다. 이는 사事에서 논하면 삿됨에 머물면서 바름을 이길 수 없다는 것을 기억해야 합니다. 만약 당신이 우리가 매우 바르지만 삿된 역량이 나를 뛰어넘는다고 생각한다면 당신은 우리 보다 훨씬 바릅니다. 실제로 우리의 그런 바름에는 몇 분의 삿됨을 띠고 있으므로 당신의 바름은 삿됨을 이길 수 없습니다. 만약 당신이 순수하게 바르다면 비록 삿됨으로 들어가 번뇌가 엉키고 우거진 숲처럼 보일지라도, 당신을 털끝만큼도 해칠 수 없을 것입니다. 우리 자신의 마음 바탕에 털끝만큼의 삿된 생각이라도 있다면 비록 바르다고 말할 지라도 순수하게 바르지 않고 삿된 힘이 여전히 침범할 수 있습니다. 그래서 앞에서 말씀드렸듯이 일심으로 지명(칭명)해야 합니다. 여기서 일심은 바로 순수한 바름(純正)입니다. 대자비심이 악인의 생각으로 바뀔 수 있고, 그의 살기殺機를 변화시킬 수 있으며, 그의 흉악한 생각을 바꿀 수 있습니다. **관세음보살께서는 바름(正)으로써, 자비(慈)로써, 이 역량으로써 이 세상에 와서 중생을 구호하십니다. 우리 자신이 일념 청정한 마음 가운데 있으며 보살과 같은 바른 마음과 자비심을 가지면 저절로 감응도교感應道交할 수 있어 이러한 독의 해를 면하고 제거할 수 있습니다.**

이理에서 말하자면 「**삼독 · 십악은 모두 자신의 묘심에서 나온다(三毒十惡 皆出當人妙心)**」, 당인當人은 자기 자신으로, 전부 자신의 마음에서 변화된 것입니다. 「**바른 마음으로 관세음보살을 염하여 지혜로써 위신력을 비추고, 흐름으로 돌이켜 들어가 돌이켜 듣고 본래의 진심으로 다시 돌아가 저 독약 등이 염에 응해 무상지각으로 변화되나니, 본인으로 돌아가지 않으면 누가 돌아갈 것인가?**」 이는 이理 상에서 말한 것입니다. 이러한 이理는 부처님이 《능엄경》에서 매우 분명히 말씀하셨는데, 이른바 사과四科 · 칠대七大입니다. 사과四科는 오음五陰 · 육입六入 · 십이처十二處 · 십팔계十八界로 이들은 모두 일체법의 귀납입니다. 즉 일체법은 이 네 가지 범주로 귀납됩니다. 칠대七大는

지地 · 수水 · 화火 · 풍風 · 공空 · 견見 · 식識을 말합니다. 《능엄경》에서는 25원통圓通을 말하는데 바로 18계에 칠대를 추가한 것입니다. 어느 방면에서 수학하던지 상관없이 모두 위없는 도를 이루므로 법마다 평등하여 높고 낮음이 없습니다. 또한 사과 · 칠대는 모두 여래장如來藏 · 묘진여성妙眞如性입니다. 삼독 · 십악은 사과 · 칠대와 떨어지지 않고 이 안에 있습니다. 그래서 확실히 우리들 자기 마음속에 변하여 나타난 것으로 마음이 미혹하면 비로소 삼독 · 십악으로 변합니다. 이렇게 깨치면 깨침은 없습니다. 이로써 바깥 경계는 본래 선악이 없음을 알 수 있습니다. 선악은 확실히 자기의 일심이 변하여 나타난 것입니다.

제불보살님의 마음은 염념마다 모두 청정하고, 염념마다 자비롭습니다. 바꾸어 말하면 그는 염념마다 깨달아 미혹하지 않아서 「불보살」이라고 합니다. 순수한 선에는 악이 없고, 이 순수한 선은 선악의 선이 아닙니다. 선악의 선은 상대적입니다. 선악의 양변을 모두 여의어야 진실한 선(眞善)이라 하고, 순수한 선(純善)이라 합니다. 이 마음이 비로소 청정하고 평등합니다. 이것이 우리 진심의 원래 모습입니다. 이런 마음으로 일체 만법을 관하는 것을 경에서는 비춤(照)이라 말합니다. 일체법을 비추어 보면 법마다 적멸상 아님이 없습니다. 이런 경계를 《화엄경》에서는 십지보살十地菩薩이 이런 경계에 들어가면 「법운지法雲地 보살」이라고 합니다. 오인五忍[22] 중에서 이는 적멸인寂滅忍입니다. **법운지 보살은 일진법**

계一眞法界에 머물고 상적광토常寂光土에 머누는 것을 알 수 있습니다. 상적광토에는 바로 법운지法雲地 · 등각等覺 · 여래과지如來果地 보살이 머뭅니다. 십지보살은 하품의 적멸인이고, 등각은 중품이며, 불지佛地는 상품으로 이것이 일진법계에 머무는 것입니다. 일진법계 아래에는 실보장엄토實報莊嚴土입니다. 정토나 《화엄경》의 경계에 말하면 초주보살에서 제9지가 모두 실보장엄토입니다. 그래서 확실히 부처님께서는 경전에서 우리에게 「염에 응해 변하여 무상지각을 이룬다(應念化成無上知覺)」 말씀하셨습니다. 이 말씀은 부처님께서 《능엄경》에서 말씀하신 것입니다.

9) 귀신의 난을 면하다

혹 악한 나찰이나 독한 용,
온갖 귀신 등을 만날지라도
저 관음의 명호를 염하여 위신력에 의지하면
이때 그것들이 감히 해치지 못하느니라

或遇惡羅刹。毒龍諸鬼等。念彼觀音力。時悉不敢害。

---

22) 《인왕경》에서는 반야바라밀을 닦는 것이란 복인伏忍 · 신인信忍 · 순인順忍 · 무생인無生忍 · 적멸인寂滅忍의 오인五忍을 수행하는 것이라고 말하고 있다

10) 포악한 짐승의 난을 면하다(加頌)

만일 포악한 짐승에 둘러싸여
날카로운 이빨과 발톱이 두려울지라도
저 관음의 명호를 염하여 위신력에 의지하면
그 짐승들이 먼 곳으로 빨리 달아나느니라.

若惡獸圍繞。利牙爪可怖。念彼觀音力。疾走無邊方。

이것도 앞쪽에 없는 가송加頌입니다. 이 같은 상황도 가끔 만날 수 있는 재난입니다. 특히 여행을 좋아하거나 등산을 하는 사람이 산에서 수많은 독사나 맹수류를 만나는 경우 이들 맹수가 당신을 둘러싸면서 해치려할 때 「보문품」을 독송하는 사람은 즉시 이 게송을 생각하고서 관세음보살을 일심으로 칭념하면 이들 맹수들은 저절로 떨어져나갑니다.

11) 독충의 난을 면하다(加頌)

도마뱀이나 독사 그리고 살모사나 전갈이

연기를 내며 불이 일 듯 독기를 뿜더라도 저 관음의 명호를 염하여 위신력에 의지하면 칭명의 소리 듣고서 저절로 돌아가느니라.

蚖蛇及蝮蠍。氣毒煙火燃。念彼觀音力。尋聲自迴去。

이는 독을 지닌 파충류에 속합니다. 독사는 도처에 있지만, 일반인은 매우 판별하기 어렵습니다. 극독을 지닌 뱀과 전갈에 물리면 독성이 맹렬한 경우 대개 몇 시간 안에 생명을 잃어버리므로 구급방법을 알아야 합니다. 그래서 등산하는 사람들의 경우 인솔자는 뱀의 독성을 판별하는 능력을 갖추고 혈청을 미리 준비하여 응급시 사용합니다. 관세음보살을 염할 수 있다면 가장 좋습니다. 뱀의 성향을 잘 아는 사람들은 뱀이 마음대로 사람을 공격하지 않고 공격하는 대부분은 방어 성향에 속한다고 말합니다. 뱀을 만나면 그곳에 서서 움직이지 않고 관세음보살을 염하면 저절로 가버릴 것입니다. 당신이 움직이려 하면 뱀을 해치려고 한다고 여겨서 공격을 합니다. 그래서 뱀을 만나면 두려워하지 말고 관세음보살을 염하면 보살께서 위신력으로 가지하고, 이와 동시에 뱀이 당신이 움직이지 않고 해치려 하지 않는 모습을 보고서 저절로 가버릴 것입니다.

12) 우레 폭우의 난을 면하다(加頌)

구름이 몰려와 뇌성이 일고 번개가 치며
우박이 떨어지고 큰비가 쏟아질지라도
저 관음의 명호를 염하여 위신력에 의지하면
감응하는 때 흩어져 걷히게 되느니라.

雲雷鼓掣電。降雹澍大雨。念彼觀音力。應時得消散。

이 같은 재난의 부류는 우리가 만나는 태풍의 재난과 같습니다. 태풍이 올 때는 큰비가 내리고, 어느 때는 벼락이 치기도 합니다. 북방에서는 우박이 떨어지기도 합니다. 우박은 크기가 일정하지 않아서 만약 크면 가옥을 부수고, 사람과 짐승을 해쳐서 막대한 재난을 초래하기도 합니다. 타이완에서는 올해 비바람이 순조로워 태풍계절에 발생하는 수많은 태풍이 전혀 상륙하지 않았습니다. 이는 좋은 일입니다. 모두들 더 열심히 수행하시길 희망합니다. 경전에서는 항상 「경계는 마음에 따라 바뀐다(境隨心轉)」고 말합니다. 갖가지 자연재난은 우리들 생각과 밀접한 관계가 있습니다. 일부 학자들은 이를 미신이라 여기지만, 그들도 재난을 만나면 반신반의하여 그 마음을 결정할 수 없음을 봅니다. 그래서 불법은 이치가 매우 깊다고 말합니다. 반드시 자세히 연구하고 행지行持 상에서 실험해야 경전에서 말하는 말이 구구절절 실제로 일어나는 것임을 실증할 수 있습니다.

○ 둘째, 삼독三毒을 여의고 이구二求에 응하다

중생이 곤란과 액난을 만나
무량한 괴로움에 몸이 핍박당할지라도
저 관음의 미묘한 지혜력으로
능히 세간의 괴로움을 구제하느니라.

「衆生被困厄，無量苦逼身；觀音妙智力，能救世間苦。

삼독이 치성하면 온갖 괴로운 과보가 몸을 핍박한다. 아들딸이 모두 없으면 곤란과 액난을 만날 때 의지할 곳이 없고 외롭다. 관세음보살께서 명호를 얻음에 대한 답변의 게송이다.

三毒熾盛，衆苦逼身，男女皆無，困厄孤伶，妙智之力，悉能救之。頌初答觀音得名竟。

주해에서는 「삼독이 치성하다」고 말합니다. 「치성熾盛」, 이 두 글자는 형용사로서 불길처럼 매우 왕성하다는 뜻합니다. 「중고핍신衆苦逼身」, 삼독은 괴로움의 인(苦因)으로, 인이 있으면 반드시 괴로운 과보가 있습니다. 괴로운 과보가 우리의 몸과 마음을 핍박합니다.

아래 두 구는 이구二求를 말합니다. 「남녀개무男女皆無곤액고령困厄孤伶」, 노년이 되어도 자녀가 없으면 의지할 데 없이 외롭다고 느낍니다. 관세음보살께서는 "미묘한 지혜의 힘으로 모두 그것을 구할 수 있습니다." 뒤쪽 경문에서 우리는 관세음보살과 어떻게 감응도교를 구할 것인지, 토론할 것입니다. 이는 매우 중요한 수학원칙입니다.

나. 6행 보문시현普門示現에 답하다.

○ 1. 신업보응身業普應을 밝히다.

신통력을 모두 갖추고
지혜의 방편을 널리 닦아
시방 모든 국토에

몸으로 나타나지 않는 찰토가 없으며

具足神通力。廣修智方便。十方諸國土。無剎不現身。

갖가지 모든 나쁜 갈래인
지옥 · 아귀 · 축생에서 겪는
생로병사의 괴로움이
점차로 다 사라지느니라.

種種諸惡趣。地獄鬼畜生。生老病死苦。以漸悉令滅。

응할 수 있는 연유는 신력 및 지혜방편으로 말미암는다. 만약 천여千如의 전체 대용이 아니라면 신통력을 구족할 수 없다. 신통을 비록 자성본연 안에 갖추고 있을지라도 다시 미묘한 지혜 방편을 널리 닦음으로 말미암아 자성본연을 비추어 신통을 내는 까닭에 보문시현이 자재하다.

能應之由，由神力及智方便，若非千如全體之用，不能具足神通力也。通雖性具，復由廣修妙智方便，照性發通，故得普門示現自在也。

주해에서 「능응지유能應之由」를 말합니다. 중생에게 감感이 있으면 보살에게 응應이 있습니다. 응할 수 있는 연유는 "신력 및 지혜방편으로 말미암습니다.” 아래에서 해석을 해주십니다.

“만약 천여의 전체 대용이 아니라면 신통력을 구족할 수 없다.” 「천여千如」는 지자대사께서 《법화경》에서 말씀해주신 「백계천여百界千如」입니다. 이에 전체대용全體大用이 비로소 현전할 수 있습니다. 여如는 진여眞如로 한 법도 여如하지 않음이 없습니다. 이런 경계는 반드시 명심견성을 해야 현전할 수 있습니다.[23] 보살께서는 《능엄경》에서 이 같은 경계를 나타내 보이십니다. **가장 처음으로 증득한 진여는 원교圓敎의 초주보살初住菩薩이면 증득할 수 있고, 이는 염불법문에서 이일심불란理一心不亂입니다. 우리가 이런 경계에 도달하면 작용이 확대되어 신통을 구족하고 지혜를 구족합니다.**

「통수성구通雖性具」, 이 문구는 일체 중생마다 모두 자성본연이 있다는 말입니다. 바꾸어 말하면 사람마다 모두 여래과지如來果地상의 열 가지 불가사의한 신통을 구족하고 있습니다. **「비록 자성본연 안에 갖추고 있을지라도」** 현재 자성본연을 미혹하여 비록 자성본연이 있을지라도 자성본연은 작용을 일으킬 수 없어 현전하지 못합니다. **“다시 미묘한 지혜 방편을 널리 닦음으로 말미암아 자성본연을 비추어 신통을 내는 까닭에 보문시현이 자재하다.”** 보살은 이렇게

23) “제법실상이란 깊고 깊은 권실의 경계를 간략히 표시한 것이다. 제법이란 이른바 백계천여로 곧 실의 권이고, 실상은 이른바 중도이체로 곧 권의 실이다(諸法實相者。略標甚深權實境也。諸法。謂百界千如。卽實之權也。實相。謂中道理體。卽權之實也).” 우익대사, 《묘법연화경태종회의妙法蓮華經台宗會義》.

닦아서 성취하였지만, 우리 자신은 성취가 있으려면 반드시 진지하게 수학해야 합니다. 「**미묘한 지혜 방편을 널리 닦는다**(廣修妙智方便)」, 이 문구를 반드시 명료하게 이해하여 오해를 일으켜서는 안 됩니다. 언제 비로소 미묘한 지혜 방편을 널리 닦을 수가 있습니까? 근본지를 얻고 난 후 비로소 널리 배우고 많이 들을 수 있습니다. 선재동자가 53선지식을 참방한 것처럼 문수회상에서 근본지根本智를 성취하지 않고서는 미묘한 지혜방편을 널리 닦을 자격이 없습니다.

관세음보살께서 능엄회상에서 시현하신 것은 「**입삼마지**入三摩地」입니다. 입삼마지는 이일심불란을 증득하심이고, 바로 원교 초주의 과위를 증득하심입니다. 이로부터 비로소 미묘한 지혜방편을 널리 닦을 수 있습니다. 이러한 수학의 순서는 결코 뒤바뀔 수 없습니다. 뒤바뀌면 우리는 이지러져, 크게 머뭇거리게 되고 성취할 수 없습니다. 그래서 불문에서 수학하는 순서는 먼저 전일하게 하고, 나중에 넓히는 것(先專後博)입니다. 먼저 넓히고 나중에 전일하게 하는 것은 옳지 않습니다. 지금 수학하는 방식이 먼저 넓게 공부하여 여러 가지 모두 해보고 배우고, 마지막에 다시 전일하게 배우고 다른 것은 전부 다 버리겠다고 하면 뭐라고 말하는 것과 같습니까? 물건을 구입함에 있어 여러 가지를 선택하고, 많은 시간을 들여서 이상적인 것을 하나 선택하여 그것을 사기로 결정하는 것과 같습니다. 이는 처음 배우는 사람에게는 당연히 절대 불가이지만, 여기서도 자기의 선근 · 복덕 · 인연을 살펴야 합니다.

선근 · 복덕 · 인연이 두터우면 넓게 배우고, 머지않아 행문行門 하나를 결정하여, 이때부터 수학하기 시작할 수 있다면 당신은 행운인 셈입니다. 그러나 당신이 많은 것을 배운다고 말하면 사견과 무명을 늘리는 것이고, 이번 생에 필히 헛되이 보내어 성취할 수 없을 것입니다. 이는 상당히 쉽지 않습니다.

여러분은 알아야 합니다. 당신이 도처에서 많이 듣고, 많이 배우며, 많이 보면 스승을 찾을 수 없고, 진정한 선지식은 당신에게 선뜻 가르치려고 하지 않을 것이라 말씀드리고 싶습니다. 왜 그렇습니까? 당신의 생각이 너무 잡다하고 너무 어지러워서 가르치고 싶어도 가르칠 수 없습니다. 이 점에 주의해야 합니다. 당신이 선지식 한 분과 가까이 지내면 그는 당신에게 물을 것입니다. "과거에 무엇을 배웠는가?" 당신이 "저는 많이 배우고 싶지만, 아직 배움을 시작하지 않았습니다"라고 말하면, 선지식은 당신을 정말 보배라고 여기고, 결코 당신을 포기하지 않을 것입니다. 당신이 "저는 매우 많이 배웠고, 매우 많이 들었으며, 매우 많이 보았습니다"라고 말한다면 그는 고개를 끄덕이며 "괜찮아. 매우 좋네. 정말 보기 드물어. 그대는 가시게. 그대의 기분을 해치고 싶지 않네"라고 말할 것입니다. "왜 그렇습니까?" "그대는 선입관에 사로잡혀, 나는 옳고 다른 사람은 옳지 않다고 하지 않는가? 그대는 여전히 옳지 않네. 다른 사람과 별 차이가 없지 않은가! 그래서 배울 방법이 없네." 이것이 우리가 아무쪼록 기억해야 하는 점입니다. 이는 앞에서 여러분에게 강조하였듯이 자고이래로 사승(師承; 스승의 가르침을 이어받음)의 중요성을 말하는 것입니다. 그래서 일단 시작하면 한 분 스승님의 뒤를 따라야 하고, 한 사람의 말을 배워야 합니다. 선지식을 만나면 다른 사람이 선뜻 가르쳐 주려고 할 것이고, 당신은 진정으로 이익을 얻을 수 있습니다. 처음부터 넓게 배우고 나중에 하나로 돌아갈 수 있다면 몇 사람이나 기꺼이 뉘우치겠습니까? 몇 사람이나 깨닫겠습니까? 잘 깨닫고, 잘 뉘우친다면 할 말이 없습니다. 두려운 것은 바로 일생에 전혀 깨닫지 못하고, 뉘우칠 줄 모르는 것으로 이 점이 가장 두렵습니다.

이는 미묘한 지혜 방편을 널리 닦으려면 자신이 평정한 마음을 얻은 후 바로 이일심불란을 얻어야 한다는 말입니다. 사일심불란으로는 자격이 모자라고, 이일심불란을 얻어야 합니다. 교종에서는 원만한 이해가 크게 열리고(大開圓解), 선종禪宗에서는 확철대오大徹大悟하고 명심견성明心見性하였을 때 널리 배우고 많이 들을 수 있고 바깥에 나가 참학參學할 수 있습니다.24) **참학하는 가운데 바로 「자성본연을 비추어 신통을 낸다(照性發通)」**, 이것이 참학의 공덕으로 우리가 《사십화엄四十華嚴》에서 선재동자가 표연表演하는 것이 바로

---

24) "만약 교종敎宗에 따른다면, 반드시 (경론의 이치에 대한) 원만한 이해가 크게 열려야(大開圓解)하고 선종禪宗에 의한다면, 반드시 첩첩 관문을 곧장 꿰뚫어야(直透重關) 합니다. 그런 다음에야 비로소 도 닦음(修道)을 논할 수 있습니다." 《철오선사법어》(비움과소통).

이 뜻임을 알 수 있습니다. 선재동자의 53참參, 이 네 글자는 이런 총강령을 제시하는 것입니다. 53참이란 무엇입니까? 자성본연을 비추어 신통을 내는 것을 말합니다. 그래서 보문시현普門示現할 수 있습니다. 관세음보살께서는 비로소 이렇게 큰 위덕신력이 생겨 일체 고난 받는 중생에게 가지加持할 수 있습니다.

통상 「악취惡趣」를 논할 때 단지 삼도三途에 국한하지만, 지금 「종종種種」이란 말은 널리 「구계九界」를 가리켜서 부처님께서는 모두 악이라 이름하길 바라시고, 달리 삼악도의 극악을 드신 까닭이다. 비록 삼악도가 막 그윽한 어둠(幽昏)에 잠겨서 아직 제도를 받지 못했을지라도 모두 점차 그 괴로움이 소멸되게 한다.

常論惡趣, 但局三途, 今種種之言, 通指九界, 望佛皆名爲惡, 別擧三途極惡故也。雖三惡方沉幽昏, 未應得度, 悉令漸滅其苦也。

아래 몇 문구를 읽도록 하겠습니다. **「상륜악취常論惡趣」**, 통상 우리는 악도惡道를 말할 때 **「단국삼도但局三途」**, 단지 삼악도를 말할 뿐입니다. 이 경문 게송에서, **「종종제악취種種諸惡趣 지옥귀축생地獄鬼畜生」**이 있습니다. 그 아래에는 **「생로병사고生老病死苦」**, 이 문구 하나가 있습니다. 이 문구에서는 **「갖가지 모든 나쁜 갈래」**는 오로지 삼악도만을 가리키지 않고 널리 구계九界를 가리킵니다. 구법계九法

界에는 보살마저도 여기에 포함됩니다. 보살도 나쁜 갈래(惡趣)일 수 있는가? 보살은 부처님과 비교하면 여전히 나쁜 갈래입니다. 왜 그렇습니까? 변역생사變易生死가 사라진 것이 아니고, 25) 생상무명生相無明을 여전히 끊지 못했기 때문입니다.26) **"널리 구계를 가리켜서 이에 부처님께서는 모두 악이라 이름하길 바라시고, 달리 삼악도의 극악을 드신 까닭이다."** 삼악도는 구법계중에서 가장 괴롭고 가장 두려운 경계입니다. **"비록 삼악도가 막 그윽한 어둠(幽昏)에 잠겨서 아직 제도를 받지 못했을지라도 모두 점차 그 괴로움이 소멸되게 한다."** 삼악도를 제도하기란 쉽지 않고 매우 어렵고도 어렵습니다. 만약 삼악도를 제도하기 쉽다면 앞에서 읽었듯이 천룡팔부는 왜 자기가 있는 세계를 떠나 사람이 사는 세계에 태어나길 희망하겠습

---

25) 삼계에서 나고 죽고 하는 몸을 떠난 뒤 성불하기까지 성자가 받는 삼계 밖의 생사를 말한다. 8지八地 이상은 분단생사分段生死를 여의고 변역생사變易生死를 받으므로 윤생潤生의 번뇌를 일으킬 일이 없다. 《명추회요》에 이르시길, "일승의 성인과 자재한 보살들은 모두 3계를 벗어났는데도 오히려 변역신變易身의 네 가지 생사가 있는데, 하물며 삼계 안에서 번뇌가 현행하고 업보에 얽매이는 범부의 분단생사分段生死이겠는가. 네 가지 변역생사變易生死란 일체 아라한 · 벽지불 · 대지보살大地菩薩이 네 가지 장애로 인해 여래의 네 가지 덕을 얻지 못하는 것이니, 첫째는 방편생사方便生死이고, 둘째는 인연생사因緣生死이며, 셋째는 유유생사有有生死이고, 넷째는 무유생사無有生死다"라 하였다.

26) 제8아뢰야식第八阿賴耶識 중의 일분一分 무명업상을 끊고 아집구생我執俱生과 법집구생法執俱生이 모두 다한다. 여기에서 더 나아가 마지막 남은 생상무명生相無明의 세중세細中細를 끊고 불지佛地에 이른다. 《유식도리唯識道理》, 법성스님.

니까? 이는 매우 분명하지 않습니까? 삼악도는 미혹함이 너무 깊어 깨닫기 매우 어렵습니다. 부처님께서 경전에 기록한 것을 보면 제불보살님께서 악도의 사람을 가장 높이 제도하는 것은 단지 그들을 도와 욕계의 제2층 하늘인 도리천까지 오르게 할 수 있을 뿐이고, 더 위로 가는 것은 안 됩니다. 불보살님께서도 그렇게 할 수 있는 힘이 없음을 알아야 합니다.

우리는 오늘날 수없이 많은 불사에 참여하고 있습니다. 예를 들면 내일 저녁에도 원만히 대몽산시식大蒙山施食[27]을 마칠 것입니

27) 몽산蒙山은 지금의 사천四川 명산현名山縣에 위치합니다. 송나라 때 부동상사不動上師가 계셨는데 사람들이 감로대사甘露大師라 불렀다. 사천 몽산四川蒙山에 거하시면서 유령을 두루 제도하시기 위해 유가염구瑜伽焰口 및 밀종제부密宗諸部를 모아 몽산식시蒙山施食를 집성하여 불문의 필수 과송의궤課誦儀軌가 되었다. 근대에 들어 흥자興慈대사께서 몽산시식을 제창하여 육번개시六番開示에 추가하고 「대몽산시식大蒙山施食」이라 하였다. 대몽산시식은 부처님께서 계시던 시대에 가장 일찍 시작되었다. 옛날 아난존자가 숲속에서 선정을 닦는데 한밤중 삼경三更에 면연面然이란 아귀餓鬼(관세음보살의 화신)가 몸에 불이 붙은 모습으로 나타나 아난에게 말했다. "사흘 후에 그대의 목숨이 다하여 나와 같은 부류에 떨어질 것이다. 그러나 이를 면할 수 있는 구제방법이 있으니 그대가 만약 육도 군령六道群靈에게 식시飮食로 보시하고 우리를 위해 삼보에 공양할 수 있다면 그대의 복덕이 늘어나고 수명이 연장될 것이다" 하였다. 둘째 날 새벽에 아난존자가 이 일을 부처님께 아뢰었더니 부처님께서 그를 위해 다라니 주문을 염송하고 식시법을 설하시어 항하사수의 군령들이 시식을 접하고서 모두 다 육근이 청정해져 온갖 괴로움에서 벗어나고 선도에 태어났다. 이로 말미암아

다. 대몽산시식의 대상은 아귀도입니다. 의규儀規에는 비록 자신의 심력을 다하여 그들을 천도하여 정토에 왕생시키도록 노력하여도 실제로는 도달할 수 있습니까? 매우 어렵고도 어렵습니다! 《자비도량참법(梁皇懺)》을 보시면 그것은 보지공寶誌公이 양무제梁武帝의 왕비를 천도하는 것입니다. 보지공은 관세음보살께서 화신으로 오신 분으로 보살의 위신지력으로 그녀를 악도에서 천도하여 도리천에 가게 할 수 있을 뿐입니다. 여러분은 다른 사람의 천도에 의지하는 것은 다른 사람의 복이 당신을 돕는 것으로 복보를 당신에게 줄 수 있고 도울 수 있지만, 복보의 최상은 도리천에 가는 것임을 알아야 합니다. 더 위로 가는 것은 야마천夜摩天으로 복보에다가 자신의 선정력에 일분 의지해야 합니다. 나의 선정력이 없으면 당신에게 줄 수 없습니다. 제불보살의 지혜와 선정을 우리에게 나누어줄 수 없습니다. **그의 복보를 우리에게 줄 수 있고 우리가 누릴 수 있지만, 그의 지혜와 선정은 줄 수 없습니다.** 예를 들면 그가 국왕이 되어 당신이 그에게 기도를 하여 잘 되면 "나의 재보를 당신에게 줄 수도 있고, 나의 국왕자리도 당신에게 줄 수 있습니다." 그것은 복보로 그가 당신에게 주고 당신은 받을 수 있습니다. 그의 총명지혜의 경우는 방법이 없습니다. 그가 우리에게 줄 수도

아난의 수명이 120세로 연장되었다. 중국불교협회 전희傳喜스님.

없을뿐더러 설사 우리에게 주더라도 받을 수 없습니다.

그래서 천도(超度)는 닦은 복으로 가지加持하는 것입니다. 누가 복을 닦습니까? 우리 자신이 복을 닦습니다. 우리 자신이 복을 닦지 않으면 그가 무엇을 받겠습니까? 그는 아무것도 받지 못합니다. 이런 일은 《지장보살본원경地藏菩薩本願經》을 자세히 읽으시면 알게 될 것입니다. 바라문 여인, 광목光目 여인은 그녀의 어머니가 지옥에 떨어져서 자신의 수행법인 염불 법문으로 각화정자재왕여래覺華定自在王如來를 염하였습니다. 그녀가 일심불란에 이르도록 염한 복보가 커서 그의 모친이 은혜를 입어 지옥에서 벗어날 수 있었습니다. 그녀는 어떻게 일심불란을 얻을 수 있었을까요? 왜냐하면 그녀는 어머님을 구하고 싶어서 수행을 하였기 때문에 어머니가 지옥에 떨어져 그녀가 수행하도록 한 것이나 마찬가지이므로, 이는 그녀 어머님의 복보입니다. 그녀 어머님께서 악도에 떨어지지 않았다면 그녀도 학불을 하지 않았고, 일심으로 각화정자재왕여래를 염하지 않아서 그녀는 여전히 생사범부였을 겁니다. 그래서 그녀의 성취는 어머님이 그녀를 도와준 것으로, 어머님이 그녀의 증상연增上緣인 것입니다. 그녀가 만약 성취하였다면 이 복보는 그녀의 어머니가 누려야 합니다. 천도는 이렇게 되는 일입니다.

그래서 우리가 대몽산에서 자신이 수행하여 깨달으려면 진정으로 우리의 신구의 삼업을 바꾸어야 합니다. 우리 자신의 경계가 향상되면 이들 귀신이 복보를 얻어 삼악도를 떠날 수 있으니, 이는 조금도 거짓이 아닙니다. 《지장보살본원경》이 이렇게 되는 일임을 증명하여 줄 수 있습니다. 그래서 몽산 판본을 입으로 염하여 천도하는 것이 아닙니다. 당신이 염송할 때 자신의 마음속으로 자신의 경계가 바뀌지 않고 밖으로 나가면 귀신이 당신을 때릴 겁니다. "그대는 나를 속이는 군. 나를 찾아와 나를 기만하고 있네. 당신 자신은 닦지도 않았으면서." 그래서 당신이 삼귀의를 하고 우리 자신이 법에 귀의하여, 참회게를 염송하고 진실로 참회하면 복을 얻을 것입니다. 자신이 닦고 자신이 염송하면서 그에게 권유하고 그가 닦을 수 있길, 마음을 바꿀 수 있길 희망하는 것이나 마찬가지입니다. 그를 더 잘 바꿀수록 천도하는 힘은 더 크고 빨라집니다. 그를 바꿀 수 없을 때에도 그에게 선근을 심어주면 아뢰야식도 그에게 종자를 심어줍니다. 천도는 이런 뜻입니다. 그래서 **불사는 일심으로 칭념해야 효과가 있습니다. 산란한 마음으로 칭념하고, 뒤섞인 마음으로 칭념하면 효과가 없습니다. 그래서 대중은 다 같이 의규에 익숙해야 합니다.** 모두 익숙하지 않으면 어떻습니까? 그에게 번뇌가 일어납니다. 이 법기를 잘못 두드리면 본래 일심으로 청정심으로 염해야 하는데 이 법기가 싫게 들리면 "왜 이래. 또 틀렸나?" 그의 마음이 산란됩니다. 산란되면 어떻게 됩니까? 산란되면 영험이 없습니다. 정성이 있어야 영험이 있습니다. 마음이 산란하면 영험이 없습니다. 천도의 이치는 여기에 있습니다.

삼악도의 괴로움은 제도하기 쉽지 않다고 말했습니다. 불보살님께서는 자비심으로 제도하기 어렵더라도 결코 포기하지 않습니다. 여전히 항상 일깨우고, 항상 생각하며, 빨리 뉘우치고, 언제나 깨닫고 뉘우쳐서 악도를 벗어나길 희망합니다. 이로 인해 언제나 끊임없이 제시합니다. 이것이 바로 대자대비입니다. 우리는 매주 몽산시식을 마치고 염불 회향하였습니다. 특히 귀신에 대해 그러했습니다. 우리는 이러한 이치를 알아야 합니다. 우리가 그들을 구조·제도하고 싶으면 먼저 자신이 성취해야 합니다. 그리 하면 그들도 제도할 수 있습니다.

○ 범본 추가 3구 7수 : 정토를 찬탄하다.[28)]

무진의보살은 부처님의 설법을 듣고 마음속으로 믿고 기뻐하며 게송으로 찬탄하기를,

無盡意菩薩，問佛所說，心中信悅，而說偈日

---

28) 이 법문은 정공법사께서 1988년 타이완 타이베이台北 중산당中山堂에서 강술하신 《대세지염불원통장대의大勢至念佛圓通章大意》에 있는 내용으로 역자가 번역하여 합본하였다.

《법화경》은 원교 경전 중의 왕입니다. 《법화경》은 제가 한번 강해한 적이 있고 비교적 적게 강해하였지만, 심득心得이 매우 많습니다.

《법화경》에서 서방극락세계에 태어나길 구하라는 왕생의 법문은 《약왕보살본사품藥王菩薩本事品》 제23장에 있습니다. 부처님께서는 명백하게 우리에게 말씀하십니다. "만약 여래가 열반한 뒤 후5백 년 가운데(말법시기를 가리킨다. 우리들 현재 이 시대이다. 5백년은 바로 부처님 멸도하신지 2500년 이후이다) 어떤 여인이 이 경전을 듣고 말한 대로 수행하면 여기서 목숨을 마치고는 곧바로 안락세계(서방극락세계)에 아미타불이 대보살 성중에게 둘러싸고 머무는 곳에 가서, 연꽃 속에 있는 보배자리 위에 태어나서 다시는 탐욕으로 뇌란치 않고, 또 다시 성냄과 어리석음으로 뇌란치 않으며, 또 교만 · 시기 질투의 모든 때(垢)로 뇌란치 않고 보살신통과 무생법인을 얻느니라."

《법화경》과 관련하여 현대에 놀라운 발견이 있었으니, 《법화경》의 범문 원본이 현재 세상에 존재하고 있다는 사실입니다. 이것은 매우 얻기 어려운 것으로 영국인 케른(H. Kern)이 범문 《법화경》을 영문으로 번역하였습니다. 《보문품》의 게송 부분에 3구와 7수의 게송이 있지만, 한문본에는 없습니다. 이 3구와 7수의 게송은 서방극락세계를 강송하고 있습니다. 민국초년

(1913), 여벽성呂碧城거사는 영문판 《법화경》을 근거로 빠진 부분의 경문을 한문으로 번역하였습니다. 과거 이병남李炳南거사께서는 타이중台中에서 《법화경》을 강술하시며 이 단락을 추가하셨습니다.29) 7수 게송은 게송 마지막 단락 "D. 범본 추가 게송 7수: 정토를 찬탄하다"에서 소개하겠습니다.

○ 2. 의업보관意業普觀을 밝히다

이 게송 2수는「어업보관意業普觀」입니다. 과제科題는 경문의 뜻을 명백하게 드러내 보여주는 것입니다. 이 2수는 바로 우리가 수학하는 중요 강령으로 매우 중요합니다.

---

29) 1968년 봄, 이병남(雪公)거사께서 《화엄경》을 강술하시기에 앞서 대중에게 《법화경 · 보문품》에서도 아미타부처님 정토를 칭양 찬탄한 게송이 있다고 말씀하시면서. "여거사는 이 7수의 게송을 정토법문의 중요성을 증명한 유력한 증거로 여겼고, 그 지위는 《화엄경·보현행원품》에 결코 뒤떨어지지 않는다"라고 말씀하셨다. 그리고 법화경과 정토법문의 관계에 대해 다음과 같이 말씀하셨다. "이로써 석가모니부처님께서 한평생 49년 동안 설법하시면서 3백여 회를 강경하셨는데, 보리수 아래 처음 성도하신 후 《화엄경》을 설하실 때부터 열반에 드시기 전에 《법화경》을 강경하실 때까지 처음부터 끝까지 모두 정토법문을 중시하셨음을 알 수 있다."

진성심으로 관하고, 청정심으로 관하며
광대한 지혜로 관하고,
연민심으로 관하고, 자애심으로 관하나니
항상 발원하고 항상 우러러 볼지니라.

眞觀淸淨觀。廣大智慧觀。悲觀及慈觀。常願常瞻仰。

때 없이 청정한 광명인
지혜의 태양으로 모든 어두움을 깨뜨리고
능히 풍화의 재난을 조복할 수 있으며
널리 세간을 밝게 비추느니라.

無垢淸淨光。慧日破諸暗。能伏災風火。普明照世間。

진성심으로 관하여 망념을 그치고, 청정심으로 관하여 물듦을 다스리며, 지혜로 관하여 미혹을 깨뜨리고, 연민으로 관하여 괴로움을 뽑아버리고, 자애로 관하여 즐거움을 베푼다. 이 다섯 가지 관으로 미혹한 무리에 가피하여, 망녕되이 물들어 미혹되고 괴로움에 시달리는 중생의 지념에 응하여 그치고 사라지게 한다. 그런 까닭에 일체중생은 항상 발원하고 우러러 의지함이 대사께서 응신하여 나타내 보이시는 이유이니, 실로 이것에 의지할 뿐이다. 「무구無垢」

이하는 이상 다섯 가지 관을 찬탄함이다. 때 없는 지혜의 태양은 관지의 체를 찬탄함이고, 재난을 조복시키고 두루 비춤은 관지의 용을 찬탄함이다.

眞以息忘，淨以治染，智以破惑，悲以拔苦，慈以與樂。以此五觀，加被群迷，妄染惑苦，應念息滅。故一切衆生常願仰而依之，大士之所以應身示現者，實賴於此耳。「無垢」下，歎上五觀。無垢慧日，歎觀智之體，伏災普照，歎觀智之用。

「**진관**眞觀」, 관觀은 바로 관조觀照입니다. 우리가 처음 배울 때 만약 여러분이 진정으로 노력한다면, 진정으로 발심 수행한다면 이 2수 게송은 우리의 현전하는 수학강령입니다. 우리는 진심을 써야 합니다. 관觀은 바로 세간을 관찰하는 것입니다. 곧 진심眞心으로써 세간을 관찰하여 사람을 상대하고 사물을 접하면, 이런 사람의 마음은 진심으로 망상이 없고 망념이 없습니다. 그래서 「**진이식망**眞以息妄」은 우리가 말하는 진성眞誠으로, 보리심에서 직심直心 · 지성심至誠心입니다. 「**정관**淨觀」, 정淨은 청정심으로, 바로 보리심의 심심深心입니다. 심심深心은 물들지 않은 마음입니다. 비록 오욕육진五欲六塵 한가운데 있어도 결코 오욕육진에 물들지 않고 마음이 청정합니다.

「**광대지혜관**廣大智慧觀 **비관급자관**悲觀及慈觀》, 이는 보리심에서 대비심입니다. 이 한 수는 보리심을 노래한 것입니다. 우리가 이 게송에서 배워야 하는 것은 진성眞誠 · 청정 · 지혜 · 자비 8글자로 귀납됩니다. 우리는 이 목표를 향해 노력하면서 학습해야 합니다. 지혜·자비는 모두 진성·청정심의 작용입니다. 지혜는 어떻습니까? 미혹을 깨뜨릴 수 있습니다. 자신에게 당연히 미혹이 없는 것은 진성심·청정심이 있기 때문입니다. 자신이 자신에 대하여 앎이 없다고 말하는 것으로 「반야무지般若無知」입니다. 만약 당신에게 여전히 앎, 지혜가 있다면 이런 지혜는 바로 무명입니다. 부처님께서는 《능엄경》에서 "지견으로 앎을 내세우는 것이 무명의 근본(知見立知 是無明本)이다"라고 말씀하셨습니다.30) 그것은 무명입니다. 이런 지혜는 무엇입니까? 지혜는 사람에 대해 쓰는 것으로 다른 사람이 미혹을 깨뜨리도록 돕는 것입니다. 이런 지혜는 이것을 가리킵니다. 부처님께서 우리에게 이들 경론을 설하고 이들 수행방법을 설하여 우리의 미혹을 깨뜨려주신 것과 같습니다. 이런 지혜작용은 다른 사람에게 작용을 일으키도록 합니다. 자기 자신에 대해서가

---

30) 온주 선암의 안安선사는 (능엄경 제5권의) "알고 보는 것에 앎을 세우면 곧 무명의 근본이고, 알고 보는 것에 보는 것이 없으면 이것이 곧 열반"이라는 구절을 보고는, 당시에 이 구절을 잘못 띄어 읽어 "알고 보는 것을 세우면 앎이 곧 무명의 근본이요, 알고 보는 것이 없으면 봄이 곧 열반이다"로 읽고서 여기서 깨달음에 들어갔다. 나중에 어떤 사람이 선사에게 말하기를 "잘못 띄어 읽었소" 하자, 선사가 말하기를 "이것이 제가 깨달은 곳이오" 라고 했다. 선사는 삶을 마칠 때까지 능엄경을 읽고 다른 경으로 바꾸지 않았으므로, 사람들은 선사를 일컬어 말하기를 「안능엄安楞嚴」이라고 하였다. 《방편개시》 허운화상(여시아문).

아닙니다. 자신에 대해서는 진실로 청정하면 되었지, 어떤 지혜가 필요하겠습니까! 그러나 중생은 미혹 · 업장 · 괴로움이 있으므로 중생의 미혹을 깨뜨리기 위해서는 지혜가 필요합니다. 그래서 대의대사께서는 "지혜심으로 관하여 미혹을 깨뜨리고, 연민심으로 관하여 괴로움을 뽑아버리고, 자애심으로 관하여 즐거움을 베푼다"라고 주해하셨습니다. 지혜 · 연민 · 자애는 모두 타인이 중생을 이롭게 하는 타수용他受用이고, 자기가 수용하는 것은 바로 진성 · 청정입니다. 「이 다섯 가지 관으로써 미혹한 무리에게 가피한다(以此五觀 加被群迷)」, 이는 구법계 중생을 말합니다. "망녕되이 물들어 미혹되고 괴로움에 시달리는 중생의 지념에 응하여 그치고 사라지게 한다. 그런 까닭에 일체 중생은 항상 발원하여 우러러 의지한다." 이것이 바로 이른 바 「집집마다 관세음보살, 가정마다 아미타불」로 관세음보살을 부르지 않는 사람이 없습니다.

「대사께서 응신하여 나타내 보이시는 이유이니 실로 이것에 의지할 뿐이다」, 이것이 바로 이 게송 첫 부분에서 말한 것으로 보살이 일체중생과 감응도교가 있을 수 있는 이유입니다. 뒤쪽의 한 수는 바로 「무구청정광無垢清淨光」 이하 한 수로 「찬상오관歎上五觀」, 그것은 찬탄입니다. "때 없는 지혜의 태양은 관지의 체를 찬탄함이고, 재난을 조복시키고 두루 비춤은 관지의 용을 찬탄함이다(無垢慧日 歎觀智之體 伏災普照 歎觀智之用)」, 이 뜻은 매우 분명하게 드러나 더 말할 필요가 없습니다.

○ 3. 구업설법口業說法

연민의 체인 계행은 뇌성번개와 같고
자애의 마음은 미묘하고 큰 구름과 같아
감로의 법비를 내려서
번뇌의 불꽃을 꺼서 없애느니라.

悲體戒雷震。慈意妙大雲。澍甘露法雨。滅除煩惱焰。

비록 입이 있어 말할지라도 필시 몸과 마음을 빌려 법을 받는 근본으로 삼는다. 법을 위해 형상을 나타내시고, 본원에서 괴로움 구하겠다고 약속한 까닭에 설법의 몸을 「연민의 체(悲體)」라고 이름하였다. 하늘에서 뇌성우뢰가 쳐서 사물에 경계하지 않음이 없게 하듯이 이 몸은 먼저 계율과 덕행을 써서 사람을 경계시키는 까닭에 「연민의 체」 등이라 하였다.

說雖在口，必假身意爲授法之本。初句爲法現形，本期救苦，故說法之身，名爲悲體，此身先用戒德警人，如天震雷，物無不肅，故云悲體等。

이 게송의 표제는 「구업설법口業說法」으로, 주해에서는 "비록 입이 있어 말할지라도 필시 몸과 마음(意)을 빌려 법을 받는 근본으로 삼는다"라고 말합니다. 만약 몸이 없고 마음이 없다면 비록 입이 있을지라도 말할 수 없습니다. 그래서 신구의 삼업은 하나이되 셋이고, 셋이되 하나로 나눌 수 없습니다. 제1구는 "**법을 위해 형상을 나타내시고, 본원으로 괴로움 구하길 약속한 까닭에 설법의 몸을 「연민의 체」라고 이름하였다**" 입니다. 보살의 몸을 「연민의 체」라고 부릅니다. 그는 이 몸으로 일체중생을 고난에서 구해냅니다. "**하늘에서 뇌성우뢰가 쳐서 사물에 경계하지 않음이 없게 하듯이 이 몸은 먼저 계율과 덕행을 써서 사람을 경계시킨다.**" 이 일구로부터 우리는 불법의 수학은 계율과 덕행의 기초 위에 건립되는 것임을 더욱 체득할 수 있습니다. 만약 우리가 지계持戒를 소홀히 한다면 일찰나에 일심으로 관세음보살 명호를 칭념하여 관세음보살께서 당신을 이 재난에서 구할지라도 당신 자신은 성취할 수 없습니다. 칠난을 구하는 것은 되지만, 삼독을 여의는 것은 안 됩니다. 삼독을 여의기 위해서는 자신에게 계와 선정이 있어야 보살께서 위신력으로 가지하시어 당신이 삼독을 여의고 일심불란을 얻도록 도울 수 있습니다. 이로써 계의 중요성을 알 수 있습니다.

동수 여러분께서는 저에게 물을 것입니다. "계율로 어떻게 법을 닦습니까? 계경을 보아도 이해하지 못하겠습니다." 율장 내의 계경을 보고 이해하지 못한다고 말하지 마십시오. 당신은 「오계五戒」도 모릅니다. 살생하지 말라, 무엇을 불살생不殺生이라고 합니까? 당신은 잘 모릅니다. 잘 모르면 수지할 수 없습니다.

무엇을 불살생이라 하고,[31] 무엇을 불투도不偷盜라고 합니까?[32] 만약 그렇게 간단하다면 그렇게 큰 장경이 있는데, 율장을 해석해볼까요? 필요 없습니다. 설사 이 안에 이론이 있고, 경계가 있다고 하여도 광대무변하여 그렇게 쉽지가 않습니다. 그러나 경전을 강설하는 사람은 있지만, 계경을 강설하는 사람은 없습니다. 설사 계기戒期에 계를 받는 동안 계율을 강설하더라도 모호하게 대충 말하면 그만이고, 상세히 말할 수 없습니다. 왜 그런지 아십니까? 제가 말하지 않아도 알 것입니다. 자신이 행하지 않아서 말하려고 할 때 매우 부끄럽기 때문입니다. 그래서 **말법시기에 성취할 수 없는 이유는 계학의 기초가 없어 수행하여 증득한 후에 모두 공에 떨어지고 보두 복보로 변하며, 복을 닦아도 삼계 유루有漏의 복보이기 때문입니다.**

여러분께서는 복이 있다고 여기지 마십시오. 복이 있다고 해서

---

31) "일체 중생에게 해를 입히지 않고 살해하지 않는 것에 그치는 것이 아니라, 중생으로 하여금 번뇌를 일으키게 하는 것도 모두 우리의 잘못입니다. 보살이 머무는 장소는 능히 일체중생으로 하여금 환희심을 내게 합니다." 정공법사, 《당생성불》(비움과소통), 「육화경승단」.

32) "도둑질하지 말라는 정확한 의미는 남이 주지 않는 것을 갖지 않는 것으로, 그것의 범위는 매우 광범위하여 주인이 있는 재물이나 아직 동의를 얻지 못한 물건을 가졌다면 도적질이라고 불립니다. 혹은 주인이 있는 일체의 사람과 사물의 이득을 차지하려는 생각만 가져도 훔치는 마음에 속합니다." 정공법사, 《당생성불》(비움과소통), 「육화경승단」.

다음 생에도 인천에 태어날 수 있다고 믿을 수 없습니다. 축생도에도 아귀도에도 마찬가지로 매우 큰 복보가 있습니다. 타이완성(本省) 출신자들이 민간신앙으로 믿는 왕예궁王爺宮[33], 마조궁媽祖宮은 모두 귀왕鬼王으로 그들도 복이 있습니다. 베이강(北港)의 마조의 경우 그의 복은 대략 타이완에서 제일 큽니다. 어느 사찰에 있는 불보살의 복보도 그만큼 크지 않습니다. 그렇다고 닦은 복으로 귀도에 가서 누리거나, 축생에 가서 누리지 마십시오. 그것은 여전히 괴로움에 시달립니다. 축생도도 복을 누립니다. 불문에서는 "**복을 닦되 지혜를 닦지 않으면 큰 코끼리가 되어 영락을 걸고, 지혜를 닦되 복을 닦지 않으면 아라한이 되어 빈 발우를 들고 온다**(修福不修慧大象掛瓔珞 修慧不修福 羅漢托空鉢)"는 공안이 있습니다. 그가 축생으로 태어나 국왕을 태우는 큰 코끼리가 되어서 국왕이 외출 나갈 때 큰 코끼리 몸에 칠보 영락을 착용합니다. 그는 축생의 몸이지만 복보가 있는 것입니다. 현전하는 축생 중에서 복보가 있는 것은 사람보다 더 누립니다. 부귀한 사람이 키우는 애완견의 경우 한 마리에 수십만 원 가치가 나갑니다. 외국에서는 애완견전문 여관, 애완견 전문 식당도 있는데, 이는 사람보다 더 안락합니다. 왜 그렇습니까? 전생에 닦은 복 때문입니다. 전생에 지은 죄업 때문에 축생도에 떨어졌지만 복이 있으면 그 복을 누립니다. 진정으로 "물 한 모금,

---

33) 자이시 최초의 왕예먀오(王爺廟, 왕야묘)로 주신은 타이완 민간 신앙 중 전염병을 담당하는 우푸첸수이(五府千歲), 속칭 왕예(王爺)이다.

음식 한 입도 이전에 미리 정해지지 않은 것이 없습니다(一飮一啄莫非前定)." 선악의 과보는 털끝만큼도 차이가 없습니다.

그래서 여러분은 이러한 이치를 잘 알아야 합니다. 우리가 오늘날 계율을 닦으려면 어떻게 합니까? 이렇게 중요하면서도 강설하는 사람이 없습니다. 인광대사印光大師께서는 정말 매우 자비로우셨습니다. 그는 대세지보살께서 다시 오신 분입니다. 그는 일생동안 책 세 권을 제창하시고, 우리에게 이 수학을 따르게 하셨습니다. 이 책 세권으로 계율을 대체합니다. 첫째 《요범사훈了凡四訓》이고, 둘째 《감응편휘편感應篇彙編》이며, 셋째 《안사전서安士全書》입니다. 이들 책을 보면 알 수 있습니다. 우리는 이 방법에 따라 수학할 수 있습니다. 만약 진지하게 실천하면 그것은 공과격功過格을 닦습니다. 원료범袁了凡거사는 공과격을 사용한 방법에 따라 수행하여 자기의 운명을 바꾸었습니다. 출가인인 연지대사蓮池大師께서도 공과격을 닦으셨지만, 그 명칭은 공과격이라 하지 않고, 《자지록自知錄》이라 하였습니다. 연지대사蓮池大師의 《자지록》 수행에 따라 날마다 실천하여 3년을 닦을 수 있다면 당신의 계율덕행은 기초가 다져져 불도佛道가 비로소 희망이 생길 것입니다! 그렇지 않다면 성불은 단지 우리의 희망 사항일 뿐, 아마도 해내기가 매우 어려울 것입니다.

다음 구는 보살은 자애를 심의心意로 삼는다. 아무런 조건이 없이 은혜를 입어서 미묘하다고 이름하고, 덮지 못하는 사물이 없어 큰 구름 같다고 비유하였다. 그래서 「자애의 마음(慈意)」 등이라 하였다.

次句菩薩以慈爲心意，無緣而被，名之爲妙，物無不覆，喻如大雲，故云慈意等。

제2구는 **"보살은 자애를 심의心意로 삼는다"**로 이른바 「자비를 근본으로 삼고 방편을 문으로 삼는 것(慈悲爲本 方便爲門)」입니다. 그러나 자비와 방편은 모두 감정의 자비가 아니라 지혜의 기초 위에 건립됩니다. 감정의 자비는 진정한 자비가 아닙니다. 진정한 자비는 이지理智의 자비, 이지理智의 방편입니다. 만약 감정을 기초로 삼는다고 한다면 그것은 불문에서 "지혜 없는 자비는 재앙이 생기기 쉽고, 방편을 탐내면 천박한 일이 생겨난다(慈悲多禍害 方便出下流)"34)

---

34) 본의가 비록 좋을지라도 마침내 재앙과 근심이 되고 마는 것을 비유한 것이다. 선을 행하여 다른 사람을 도울 때 반드시 시비를 분명히 가려야 하고 감정에 의해서 일을 처리해서는 안 된다. 만약 채택하는 방법이 온당하지 않아 빈틈없이 고려하지 않거나 이치와 근기에 맞지 않으면 좋지 않은 결과가 조성될 수 있다. 자애로 즐거움을 베풀 수 있고 연민으로 괴로움을 제거하기 위해서는 자비를 이성의 기초 하에 건립해야 한다. 방편은 임시변통(權宜)과 교묘한 수단(善巧)의 시설을 안배하여 지혜의 기초 위에 건립되어야 한다. 방편은 일종의

고 늘 말하는 것과 같습니다. 잘 살펴보시면 자비와 방편을 어떠한 기초 하에 사용하는가에 따라 다릅니다. 한 사람은 지혜의 마음으로 사용하고, 한 사람은 감정적으로 일을 처리하면 그 효과가 완전히 바뀌게 됨을 알아야 합니다. 그래서 반드시 계율을 닦고, 선정을 닦고, 지혜를 닦은 다음 자비와 방편을 사용해야 비로소 진정으로 중생을 이롭게 할 수 있습니다.

두 가지 수레를 이미 베풀고 그런 다음 설법하니, 제3구는 바로 설법이다. 「감로甘露」는 불사의 신약으로, 선설한 지극한 이치는 반드시 무생으로 해석되나니, 만약 무생이 아니면 어찌 불사일 수 있겠는가? 네 번째 구는 설법의 이익을 밝히는 것으로 본성상법本性常法은 설하지 않으면 어찌 알겠는가! 큰 법비를 내리니 중생이 적시움을 입고 일체 번뇌의 맹렬한 불길을 모두 다 꺼서 없앤다.

방법 · 수단으로 목적이 아니므로 중생의 근기와 기연에 맞아야 한다. 사람에게 가르침을 베풀어서 중생이 미혹을 깨뜨리고 깨달아서 괴로움을 여의고 즐거움을 얻도록 도울 수 있다. 학불하는 사람은 수행법문의 방편을 통하여 제법실상의 구경을 깨닫게 할 수 있다. 만약 「방편方便」을 잘못 이해하여 「마음대로(隨便)」 생각하여 덮어놓고 세속의 환심에 영합하면 자비는 재앙과 근심이 파생될 수 있다. 그래서 정공법사께서는 "자비는 좋은 사람과 나쁜 사람에 대해 일률적으로 구분하지 않으면 안 됩니다. 좋은 사람에게 자비롭게 대해야 하고, 나쁜 사람에게는 호된 수단으로 대치해야 합니다. 좋은 사람과 나쁜 사람에 대한 자비로 구분하지 않으면 방종이 빚어집니다"라고 하셨다.

자애의 구름(慈雲)은 자비가 두루함이고, 비가 내림(澍雨)은 설법이 두루함이며, 능히 끔(能滅)은 이익입니다.

二輪既施，然後說法，三句正說法也。甘露不死之神藥，所宣至理，解必無生，若非無生，焉能不死。四句明利益，本性常法，非說那知，於慈雲中，澍大法雨，衆生蒙潤，一切煩惱猛燄，悉皆滅除也。慈雲是慈悲普，澍雨是說法普，能滅是利益也。

제3구는 설법을 비유한 것입니다. 「감로甘露」는 여기서 「불사의 신약」이라고 주해하는데, 이는 부처님께서 설하신 불법佛法을 비유하는데 쓰입니다. 이어서 대의대사께서는 "선설한 지극한 이치는 반드시 무생으로 해석되나니, 만약 무생이 아니면 어찌 불사일 수 있겠는가?" 라고 주해하셨습니다. 불법은 무생의 법이고, 불법은 진정으로 해탈의 법입니다. 말후 일구는 설법의 공덕 · 이익을 설명하고 있습니다. 「번뇌의 불꽃을 꺼서 없앤다(滅除煩惱焰)」, 번뇌는 바로 미혹을 일으킵니다. 번뇌를 없애려면 당연히 업을 짓지 말아야 합니다. 이미 업을 짓지 않으면 당연히 과보가 없습니다. 이래야 진정으로 윤회생사를 뛰어넘을 수 있습니다. 이는 설법의 공덕 이익입니다.

○ 4. 관청 군진의 난을 면하다(加頌)

관청의 법정에서 소송하고 다툴 때나
군대의 진영에서 전쟁함에 두려울 때
저 관음의 명호를 염하여 위신력에 의지하면
온갖 원적 모두 물러나 흩어지느니라.

諍訟經官處，怖畏軍陣中；念彼觀音力，衆怨悉退散。

「쟁송경관처諍訟經官處」, 이는 이른바 소송을 거는 것으로 법정에서 고난을 만나는 것을 말합니다. 「포외군진중怖畏軍陣中」, 이는 군대를 따라 전쟁에 나가는 것으로 전쟁에서 적과 싸울 때 두려움을 느끼는 현상을 말합니다.

사건으로 소송에 매이고, 몸이 군대 진영에서 전쟁에 임하여, 형벌을 받을까 근심하고, 목숨을 잃을까, 병사가 쇠잔해질까 걱정되며, 지금과 옛날의 원수가 이때 함께 모이니, 한마음으로 감응에 집중하여 온갖 고난을 모두 물리쳐서 대사의 위신과 지혜의 힘이 더욱 드러난다.

事係訟庭，身臨戰陣，心憂刑罰，命慮兵殘，今昔怨仇，此時合會，一心致感，衆難皆祛，彌顯大士神智之力也。

주해에서는 「사계송정事係訟庭」을 말하는데 오늘날 법원입니다. 종전에는 사법도 정무관政務官이 겸하였습니다. 이전 중국의 제도에는 법원이 없어서 모든 소송하는 안건은 모두 시장이나 군수가 판결을 내렸습니다. 그래서 시장이나 군수는 행정관인 동시에 사법관이었습니다. 민국 년간에 비로소 나누어져 시장이나 군수는 정무를 전담하고, 별도로 법관을 두어서 소송안건을 처리하였습니다. 「신임전진身臨戰陣」, 이는 군대를 따라 전쟁터에 나가는 것입니다. 「심우형벌心憂刑罰」, 이는 법정에서 소송에 실패하여 형사상 처분을 받을까 근심하는 것입니다. 「명려병잔命慮兵殘」, 이는 전쟁터에서 이런 두려움과 겁이 생깁니다. 「금석원구今昔怨仇 차시합회此時合會」, 원가채주가 상대가 되어 이렇게 소송을 거는 것은 아닐까? 소송을 걸지 않습니다. 전쟁터에서 만약 이전 세상에 원수가 아니라면 당신을 죽이지 않을 겁니다. 사람 목숨은 확실히 정해진 운명이 있어 어떠한 억울한 죽음도 없습니다. 전쟁터에서 목숨을 잃는 것도 모두 정해진 운명이 있습니다.

제가 막 학불할 무렵 주경주朱鏡宙 노거사님께서 저를 매우 예뻐하셨습니다. 노거사님께서는 지금도 살아계시는데, 이병남선생님과 동갑으로 올해 96세이십니다. 제가 학불할 때 저를 언제나

보살펴 주시고 게다가 그 자신의 이야기를 매우 많이 들려주시어 저의 신심을 불러일으켰습니다. 그것은 모두 진실입니다. 그는 학불하실 때 몸소 이런 일을 겪고서야 믿었습니다. 그는 과학을 배운 사람으로 중국 혁명 초기에 어떻게 귀신을 믿을 수 있고, 어떻게 학불할 수 있었겠습니까? 불가능한 일이었습니다. 그의 장인은 중국의 저명한 국학대사인 장타이엔(章太炎, 1869-1936)이었습니다. 그는 그분 이야기를 많이 하셨습니다. 장타이엔은 살았을 때 동악대제東嶽大帝[35]의 명관(冥官; 저승사자)을 본적이 있었습니다. 그러나 그가 보았을 때는 믿지 않았습니다. 이런 사실이 눈앞에 펼쳐져도 반신반의하였고 학불도 하지 않았습니다.

그가 학불한 것은 항전 기간으로 사천四川성 충칭重慶시에 있었습니다. 저녁에 친구들과 대개 마작을 하였고, 놀고서 저녁에 돌아갔습니다. 돌아가는 길이 상당히 멀었습니다. 그 당시 충칭 지방은 대일항전 기간으로 가로등이 모두 20촉광의 작은 전구였습니다. 전봇대 하나 사이의 거리가 대략 1, 2백 미터로 등불이 마치 항해 중의 등대와 같아서 그 불길로는 거리를 비출 수 없었고 단지 여기 저기 등불이 있는 것이 보일 뿐으로, 이 길을 따라가면 그만이었습니다. 그는 밤에 돌아가는 길이라 주의하지 못했습니

35) 도교의 신으로 천하의 모든 귀신(잡신), 정령, 삿된 영통자(승려·도사·무당)를 다스리는 존재이다.

다. 한 절반 쯤 갔을 때 앞에 여자가 있었습니다. 거리가 그리 멀지 않았습니다. 그도 아랑곳하지 않고 뒤에서 걸어갔습니다. 거의 30분 쯤 걸었을 때 갑자기 생각이 났습니다. "어떻게 여자가 야밤에 걸어갈까?" 이렇게 생각하니 몸에 솜털이 곤두섰습니다. 그 사람을 자세히 보니, 상반신은 있는데 하반신은 없어서 놀라지 않을 수 없었습니다. 그는 이때부터 부처님을 믿고 학불하기 시작했습니다. 그래서 그는 이후 기회가 있을 때마다 그 당시 관세음보살께서 화신으로 그를 제도하러 왔다고 말했습니다. 만약 자신이 몸소 보지 않았다면 다른 사람이 어떻게 말하든 믿지 않았을 것이라 말했습니다. 그가 학불한 인연은 이렇게 왔다고 말했습니다.

그가 직접 본 희귀한 일들은 매우 많아 말로 다할 수 없고 시간을 허비하는 일이라고 하였습니다. 왜 전쟁 시에는 목숨이 정해진 운명이라 말합니까? 그 자신이 겪을 일입니다. 대일 항전 이전에 그는 경제학과 재정학을 공부하였지만, 쑤저우(蘇州)에서 어떤 개인 은행도 몰라서 국가은행에서 경리를 담당하였습니다. 그래서 그는 사교모임이 매우 많았습니다. 그 가운데 친구 한사람이 저승사자였는데, 언제나 모임에 함께 있었습니다. 그는 저녁에 죽은 자의 영혼이 머무는 곳인 음조지부陰曹地府에 일을 보러 갔습니다. 그러나 직무가 매우 작아 공문을 전달하는 일을 맡았습니다. 얼마 뒤 장타이엔은 판관이 되었습니다. 판관은 비서실장과 같아서 권한이 매우 컸습니다. 어느 날 그는 상하이上海 성황묘城隍廟에

공문을 보내왔는데, 바로 소주에 보내는 생사부였습니다. 음조지부陰曹地府에서 소주蘇州 장쑤(江蘇)의 도성황都城隍으로 성省에서 주석主席과 마찬가지 지위입니다. 상하이는 현縣인 셈입니다. 이것이 생사부를 도성황에 보내는 유래입니다. 이런 일을 그가 보냈고 그의 손을 거쳤습니다. 한번은 그가 번역하면서 이름이 이상한지 살펴보았습니다. 이름에는 4글자, 5글자, 6글자가 있었습니다. 그래서 둘째 날 그들 친구가 모였을 때 주경주 노거사와 몇 사람이 한곳에 있었는데, 이 일을 토론하였습니다. 그의 말에 따르면, 중국인의 성명은 많아야 4글자이고 게다가 4글자도 그리 많지 않다고 했습니다. 생사부 한 무더기를 보내왔는데, 모두 4글자, 5글자, 6글자이었습니다. 그들 중 몇 개는 아무리 생각해도 이해할 수 없었습니다. "틀린 것 같지 않아요?" 라고 말했더니, "틀림없어. 어제 저녁에 보았는데, 조금도 틀리지 않아"라고 말했습니다. 마침내 3개월 후 1차 상하이 사변36)으로 일본인이 상해에서 폭동을 일으켜 사망했는데 그것은 일본인의 사망부였습니다.

그래서 노거사께서는 이후 전쟁 중에 어느 한 사람이 죽어야 하면 그 명부를 억울하지 않도록 성질이 포학한 아이에게 보내었습니다. 죽어서는 안 되는 사람에게는 그것에 이름이 없었고, 죽어야

36) 1932년 1월 28일 중국의 상하이 국제 공동 조계 주변에서 일어났던 중일 양군이 충돌했던 사변이다.

하는 사람의 이름은 일찍 보냈습니다. 전쟁에서는 여기서 말한 대로 "지금과 옛날의 원수가 이때 함께 모이니", 만약 원수가 없다면 전쟁터의 진영에서 총알이 당신의 몸에 박혀도 죽지 않습니다. 왜 그렇습니까? 원수가 없기 때문입니다. 선악과보善惡果報가 확실하니, 응당 신중해야 합니다. 노거사께서는 현재 나이가 많으셔서 젊은 사람들이 찾아뵙고 이야기를 들려달라고 청하십시오. 이런 일들은 모두 진실하여 헛되지 않고 모두 당신이 몸소 경험한 일들입니다.

C. 쌍송으로 두 가지를 권하다

○ 1. 명호 수지를 권하다

묘음이요 관세음이요
범음이요 해조음이어서
저 세간의 소리보다 뛰어나나니
이런 까닭에 모름지기 항상 염하되
염념마다 의심하지 말지니라.

妙音觀世音。梵音海潮音。勝彼世間音。是故須常念。念念勿生疑。

설법하는데 장애가 없어 「묘음妙音」이요, 소리를 듣고 찾아와 괴로움에서 구제하여 「관음觀音」이요, 소리에 집착함이 없어 「범음梵音」이요, 응함에 때를 놓치지 않아 조음潮音이다. 네 가지 소리를 원만히 갖춘 까닭에 세간의 소리보다 뛰어나다고 한다. 대사께서 이와 같은 덕을 갖추어 중생을 제도・해탈하게 하는 까닭에 반드시 언제나 늘 지념하되, 중단하지 말고 의심하지 말면 뜻대로 발원을 만족시키지 못함이 없다. 만약 외불소가 회懷에 있는지 의심하여 아침에는 부지런하다가 저녁에 게으르면 않는 것에 의혹이 없다.

妙音者，說法不滯。觀音者，尋聲救苦。梵音者，音性無著。潮音者，應不失時。四音圓具，故云勝世間音也。大士具如是德，度脫衆生，故須時常持念，不間不疑，無不隨心滿願。若也疑兕在懷，朝勤夕怠，無惑乎大士之不應也。

이 다섯 구는 「송권지명頌勸持名」입니다. 보살이 중생을 이롭게 하는 위신력・자비・방편은 모두 불가사의합니다. 대천세계에서 이렇게 기댈 수 있는 사람이 한 분 계십니다. 우리가 그와 친구로 사귀고, 위급한 재난을 만나 도와줄 사람을 구하지 않으면 누구를 찾겠습니까? 다른 사람은 찾아봐도 기댈 수 없지만, 관세음보살은 찾아가면 기댈 수 있습니다. 그렇지만 어떻게 그와 교제하는지 알아야 합니다. 그래서 이 한마디 명호를 칭념하는 이론을 알고, 의거하는 이론이 있어야 미신이 아닙니다. 맹목적으로 그곳에서 칭념하지 않고 칭념하는 방법을 알고서 일심으로 칭명해야 비로소 감응도교가 있을 수 있습니다.

「**묘음자**妙音者 **설법불체**說法不滯」, 체滯는 장애障礙입니다. 보살께서는 사무애변재四無礙辯才를 구족하고 계시는데, 그래서 묘음이라 부릅니다. 「**관음**觀音」은 그의 연민심을 말하고, 「**심성구고**尋聲救苦」, 중생에게 감感이 있으면 그에게 응應이 있음을 말합니다. 「**범음**梵音」은 음성이 청정함을 말합니다. 범梵은 청정하다는 뜻으로 물들지도 않고 집착하지도 않아 이 속에는 분별 · 집착이 없습니다. 「조음潮音」은 비유입니다. 바다의 조수가 일어났다 가라앉음에는 일정한 때가 있어 어느 때는 밀물이 되고, 어느 때는 썰물이 됩니다. 이는 보살에게는 신용이 있어 결정코 기댈 수 있음에 비유한 것입니다. 「**사음원구**四音圓具 **고운승세간음야**故云勝世間音也」, 승勝은 뛰어나다(勝過)는 뜻으로 세간의 모든 소리는 그것과 비교할 수 없습니다. 실제로 말해서 세간 사람들은 육도에서 위로 마혜수라천왕摩醯首羅天王[37]에 이르기까지 그 신용은 탁월하지만, 관세음보살보다 못하므

---

37) 대천세계의 주인으로 대자재천大自在天이라 이름한다. 3개의 눈, 6개의 팔에 일월을 들기도 하고 연화, 무기 등을 들고 있으며 가슴과 팔을 드러내고 있는 백면의 보살상이며 광명은 능히 중생으로 하여금 몸과 마음이 청량하게 한다.

로 결정코 기댈만합니다!

"대사께서 이와 같은 덕을 갖추어 중생을 제도 · 해탈하게 하는 까닭에 반드시 언제나 늘 지념해야 한다." 우리는 이 말씀을 반드시 기억해야 합니다. 언제나 잘 지켜서 잃어버리지 말고 이 한마디 성호를 염념마다 잊지 말아야 합니다. **「불간不間」**, 간間은 간단間斷으로 일심으로 칭명하여 이 명호가 중단되지 말아야 하고, **「불의不疑」**, 결정코 의혹이 없어야 합니다. 이 4글자는 감응의 비결로 만약 명호를 수지함에 중단함이 있고, 의혹이 있으면 감응하지 못하고, 그 효과는 잃어버리게 됩니다. 중단함이 없으면 어떻습니까? 최저한도로 **당신은 공부성편功夫成片에 이르도록 염하면 설사 일심을 얻지 못할지라도 공부성편은 일심과 비슷하여 감응이 있습니다.** 의심이 없으면 장애가 없고 당신의 마음이 청정합니다. 의심하면 장애가 생깁니다. 진정으로 중단하지 않고, 의심하지 않고 염하면 「무불수심만원無不隨心滿願」, 진실로 구함이 있으면 필히 응함이 있습니다. 보살의 위신력이 지닌 불가사의함을 드러내 보이는 비결이 바로 여기에 있습니다. 앞쪽에서 우리에게 가르쳐주신 **「일심칭명一心持名」**, 이 방법 속의 비결, 감응의 비결은 바로 **「불간不間 불의不疑」**

복신福神, 전쟁의 주主, 길상吉祥이라고도 한다. 대자재는 마혜슈바라(Mahesvara, 시바의 별칭)를 의역한 말로, 대천세계를 자유롭게 주재한다는 뜻이다.

에 있습니다. 여러분께서 이 8글자를 말할 수 있다면 구할 자격이 생겼고, 감응을 구하는 방법을 구비한 것입니다.

"만약 외뿔소가 회에 있는지 의심하여 아침에는 부지런하다가 저녁에 게으르면 대사께서 응하지 않는 것에 의혹이 없다." 당신 마음속에 의혹이 있고 나태함이 있어 아침에는 부지런하다가 저녁에는 게을러 칭명이 중단되면 당연히 감응이 없습니다. 관세음보살께서 영험이 없다고 말하지 마시고, 석가모니부처님께서 법화회상에서 거짓말을 하였다고 말하지 마십시오. 이렇게 말해서는 안 됩니다. 이렇게 말하면 죄과가 매우 큽니다! 부처님께서 경전에서 이런 이치·방법·경계를 모두 매우 똑똑히 말씀하셨습니다. 당신 자신이 잘못 보고 체득할 수 없어, 여전히 불보살님께 의심쩍어 하면 이 죄는 너무나 큽니다.

아래 두 수를 봅시다. 이 두 수는 한 구는 앞에 있고, 단지 한 수가 연이어 세 구가 있을 뿐입니다.

○ 2. 공양을 권하다

관세음은 청정한 성인이라.

괴로움의 핍박과 죽음의 액난에서
능히 의지하고 믿을 수 있나니
일체 공덕을 구족하고 계시고
자비의 눈으로 중생을 살피시어
그 복이 모여 바다같이 무량하니
이런 까닭에 마땅히 정례할지니라.

觀世音淨聖。於苦惱死厄。能爲作依怙。

具一切功德。慈眼視衆生。福聚海無量。是故應頂禮。

듣는 성품을 관하여 돌이켜 (불생불멸의 경계로) 증입하여 모든 진망을 여의는 것을 「정성淨聖」이라 이름한다. 은밀히 도와주심이 헛되지 않아 괴로움의 핍박과 죽음의 액난에 부모님처럼 의지할 수 있고 믿을 수 있다. 일체 공덕을 구족하고 계신 즉 구하는 바에 따라 응하시니, 십사무외에 그치지 않는다. 자비로 중생을 살피시는 즉 제도할 수 있는 이를 택하여 제도하시니, 30응신에 그치지 않는다. 그 복이 모여 바다같이 이익과 혜택이 무궁한 까닭에 모름지기 귀명정례해야 한다. 문답으로 덕을 드러냄을 마친다.

觀聽反入，離諸塵妄，是名淨聖。冥資不虛，於苦惱死厄，如父如母，可依可怙，具一切功德，則隨所求而應之，不止十四無畏也。慈視衆生，則擇可度而度之，不止三十二應也。其福聚如海，利澤無窮，故須歸命頂禮。問答顯德竟。

이는 세존께서 우리에게 공양을 닦아야 한다고 권면하시는 것입니다. 주해에서는 **"듣는 성품을 관하여 돌이켜** (불생불멸의 경계로) **증입하여 모든 진망**38)**을 여의는 것을 정성이라 이름한다"**고 말합니다. 성聖은 곧 성인으로 지상보살은 모두 성인이라 부릅니다. 관세음보살께서는 등각위等覺位에서 시현하시므로 그가 수행한 방법으로 말미암아 원만히 성취하였습니다. 그래서 마음바탕이 매우 청정하여 「정성淨聖」이라고 부릅니다. 이어서 주해에서는 **"은밀히 도와주심이 헛되지 않아 괴로움의 핍박과 죽음의 액난에 부모님처럼 의지할 수 있고 믿을 수 있다"**라고 말합니다. 명冥은 은밀히 라는 뜻이고, 자資는 돕는다는 뜻입니다. 보살께서는 대자대비하셔서 남몰래 일체중생을 돕고, 구함이 있든 구함이 없든 상관하지 않고 위신력과 방편으로 평등하게 가지하십니다. 이는 진실하여 헛되지 않습니다. 중생에게 고난이 있고 죽음의 재난이 있을 때 보살께서는 유일하게 기댈 수 있고 도와줄 수 있는 분으로 어린아이가 부모님께 의지하는 것과 같습니다. 어린아이가 고난이 있으면 누구를 가장 믿겠습니까? 그의 부모님이십니다. 부모님을 가장 기댈 수 있다고 여기고, 다른 사람은 의심합니다. **"일체 공덕을 구족하고 계신 즉**

38) 청정하지 않음(不淨)을 진塵이라 이르고 허망부실(不實)함을 망妄이라 이르므로 일체 생사의 경계를 말한 것이다.

구하는 바에 따라 응하시니, 14무외無畏에 그치지 않는다." 보살께서는 원만한 공덕을 구족하고 계십니다. 그래서 구함이 있으면 반드시 응하실 수 있습니다. 더욱 보기 드문 것은 「자비로 중생을 살피시는 즉 제도할 수 있는 이를 택하여 제도하시니, 30응신에 그치지 않는다」는 것입니다. 어떤 사람을 제도할 수 있다고 합니까? 그것은 앞에서 말한 8글자, 「일심칭념一心稱念 불간불의不間不疑」입니다. 이것은 바로 보살께서 제도하려는 대상입니다. 이 8글자를 구족하면 보살의 눈에 보이고 이 사람의 기연機緣이 무르익으면 먼저 무르익은 사람을 제도하시는데, 이 감응은 특별히 현저합니다. 「기복취여해其福聚如海」, 바다는 비유로 그 복보가 모이기 시작하여 큰 바다와 같아 무량무변하고 "이익과 혜택이 무궁한 까닭에 모름지기 귀명정례해야 합니다."

이 부분의 게송까지 보살이 사바세계를 다니시며 교화하시는 덕행도 답을 마쳤습니다. 앞에서도 말씀드렸듯이 이 가운데 소리를 아는 사람이 있으니, 바로 지지보살持地菩薩로 지금 보게 됩니다. 이는 두 번째 대단락으로 「문품득익聞品得益」입니다. 여기서 품品은 바로 「보문품普門品」입니다. 세존께서 무진의보살·관세음보살과 이렇게 일문일답하시는 모습을 곁에서 들은 사람은 이익을 얻습니다.

D. 범본 추가 게송 7수 : 정토를 찬탄하다.

제1수

이처럼 자비심으로 가득하신 저 관세음,
한 때 오는 세상 부처님 되시리라.
세상 중생 위해 온갖 우환 없애 주시니
저는 실로 기쁜 마음에 절하나이다.

彼如是慈悲 一時當成佛 爲世除憂患 我心實悅服

세상 사람에게 자비심 드리우시고,

오는 세상 부처님이 되시리라.

일체 괴로움 · 공포 · 근심 없애주시니

저는 관세음보살께 정례하나이다.

yo 'sau anukampako jage buddha bheṣyati anāgate ‘dhvani | sarvaduḥkhabhayaśokanāśakaṁ praṇamāmī avalokiteśvaram ||27||

「피彼」는 관세음보살을 가리킵니다. 관세음보살께서는 이러한 대자비로 장래에 반드시 성불할 것입니다. 세상의 중생을 위해 우환을 제거하시니, 무진의보살께서 "저는 실로 기쁜 마음으로 절하나이다"라고 말씀하십니다.

제2수

모든 법왕이 그를 존자로 모시고
공덕은 광산의 보배처럼 풍부해라.
무량겁 지나도록 부지런히 수행하시어
위없는 청정한 도를 증득하셨네.

諸王彼爲尊 功德富於礦 歷劫勤修行 證道最無上

세자재왕을 스승으로 모시고
법장 비구는 세상 사람의 공양을 받으며,
백천만겁 무량한 세월 지나도록 수행하시어
위없는 청정한 도를 증득하셨네.

lokeśvaru rājanāyako bhikṣu dharmākaru lokapūjito |
bahukalpaśatāṁś caritva nāyako prāpta bodhiṃ virajāṁ anuttarām ||28||

「왕」은 법왕을 비유한 것이다. 그는 일체제불 중에서 제일입니다. 이는 관세음보살을 가리키고, 아미타부처님을 가리킵니다. 금광처럼 이곳에 묻힌 보배는 매우 풍부합니다. 그의 공덕은 광산에 묻힌 보배처럼 풍부하다고 말합니다. 이 게송은 아미타부처님을 찬탄한 것입니다. 아미타부처님은 서방극락의 교주이십니다.

제3수

아미타부처님을 보좌하면서
그 좌우에 모시고 서서
지혜의 힘으로 능히 총지하시고
선정으로 무루를 성취하셨네.

輔翼阿彌陀 侍立其左右 慧力能總持 禪定成無漏

한때는 오른쪽에, 다른 때는 왼쪽에 서서
아미타부처님을 보좌하면서
환幻 같은 삼매로 시방국토에 다니며
승자에게 향을 공양하시네.

sthita dakṣiṇavāmatas tathā vījayanta amitābhanāyakam

| māyopama te samādhinā sarvakṣetra jinagadha pūjiṣu ||29||

이 게송은 관세음보살께서 아미타부처님을 돕는 것을 찬탄합니다. 관세음보살 대세지보살께서는 아미타부처님 좌우에 계십니다. 또한 관세음보살께서 선정과 지혜를 고루 닦음(定慧等持)을 찬탄합니다.

제4수

거룩하신 아미타부처님,
서방에 극락정토가 있나니,
아미타부처님 중생을 돌보시고
관음보살 늘 거하시는 곳이라.

至尊阿彌陀 西方有淨土 彌陀撫衆生 是彼常居處

서방 그곳에 안락의 근원 있나니

청정한 극락세계라.

그곳에 중생을 잘 다스리는 분,

아미타부처님께서 머물러 계시네.

diśa paścima yatra sukhākarā lokadhātu virajā sukhāvatī |yatra eṣa amitābhanāyakaḥ saṁprati tiṣṭhati sattvasārathiḥ ||30||

이 게송에서는 무엇을 찬탄합니까? 관세음보살은 어디에 머물러 계십니까? 서방극락세계에 머물러 계십니다. 서방극락세계는 관세음보살께서 항상 머물러 계시는 곳입니다.39)

제5수

저 국토에는 여성이 없고
오직 부처님의 자식들만 있을 뿐,
모두 다 연꽃에서 화생하여
청정한 연못의 연꽃에 앉아 있네.

39) "한 분은 관세음보살이라고 하고, 또 한 분은 명호를 대세지보살이라고 이름하나니, 이 두 분 대보살은 사바세계에서 보살행을 닦았으며, 그 국토(극락)에 왕생하여서는 항상 아미타부처님의 좌우에 계시고, 시방세계 무량한 부처님 처소에 가고 싶으면 마음대로 곧 도달할 수 있느니라. 지금도 이 세계에 계시면서 큰 이익과 큰 안락을 짓고 계시느니라." 《한글 · 한문독송용 무량수경》(비움과소통).

彼國無女人 惟有諸佛子 從蓮花化生 皆坐淨蓮池

저 국토에는 여성이 존재하지 않고

성교(maithuna)의 법이 전혀 없나니,

승리자의 아들로 화생으로 나타나서

연꽃의 청정한 태에 앉아있네.

na ca istriṇa tatra saṁbhavo nāpi ca maithunadharma sarvaśaḥ | upapāduka te jinorasāḥ padmagarbheṣu niṣaṇṇa nirmalāḥ ||31||

5수는 《무량수경》의 아미타부처님 48대원과 완전히 상응합니다. 「저 국토에는 여성이 없다.」 이것은 48원에서 제22원입니다.[40] 「오직 부처님의 자식들뿐이다.」 이것은 48원에서 제20원입니다.[41] 무릇 서방극락세계에 왕생하면 경문에서 모두 다 「아유월치보살(阿惟越致菩薩; 불퇴전지 보살)」라고 말합니다. 이 원을 중요시해야

---

40) "제가 부처 될 적에 저의 국토에는 여성이 없도록 하겠나이다." 《무량수경》(비움과 소통)

41) "일심으로 저를 염하여 밤낮으로 끊어지지 않는다면 목숨이 다하는 때 저는 보살성중과 함께 그 사람 앞에 나타나 맞이하여, 짧은 시간에 곧 저의 국토에 태어나 불퇴전지 보살이 되도록 하겠나이다. 만약 이 서원을 이루지 못한다면 정각을 성취하지 않겠나이다." 《한글·한문독송용 무량수경》(비움과소통)

합니다. 이병남거사께서는 이를 「7지七地 이상」이라고 해석하셨습니다. 우리는 박지범부이지만 일생에 서방극락세계에 가면 7지 이상의 보살로 바뀌는데, 이것은 불가사의하고 실로 믿기 어려운 법입니다. 「모두 다 연꽃에서 화생하여 청정한 연못의 연꽃에 앉아있다.」 이는 48원에서 제24원과 완전히 상응합니다.42)

제6수

거룩하신 아미타부처님,
연꽃 보배 자리에 앉아서
연꽃 속에서 광명 놓아
사라수왕처럼 밝게 빛나시네.

至尊阿彌陀 寶座蓮華上 花中放光明 照耀最無量

거룩하신 아미타부처님

청정한 연꽃 태내에서

단정히 사자좌에 앉아서

---

42) "시방세계 어떤 부류의 중생들이든 저의 국토에 태어나는 이는 모두 다 칠보 연못의 연꽃에서 화생하도록 하겠나이다."《한글 · 한문독송용 무량수경》(비움과소통)

사라수왕처럼 밝게 빛나시네.

so caiva amitābhanāyakaḥ padmagarbhe viraje manorame | siṁhāsani saṁniṣaṇṇako śālarajo va yathā virājate ||32||

제7수

찬탄하옵건대, 그의 공덕장
삼계에 견줄 이 없나니,
관음보살, 우주의 스승으로 삼아
저는 속히 귀의하겠나이다.

贊彼功德藏 三界無能比 彼爲宇宙師 我輩速歸依

세간의 여래시여,

삼계에 견줄 이 없어라.

저는 그의 공덕장을 찬탄하옵나니,

빨리 복덕 쌓아 당신처럼 무상정각 이루게 하소서.

so 'pi tathā lokanāyako yasya nāsti tribhave ‘smi sādṛśaḥ | yan me puṇya stavitva saṁcitaṁ kṣipra bhomi yatha tvaṁ narottama ||33||

이 7수는 모두 다 정토를 찬양하고 관세음보살의 거처 및 내력을 설명하고 있습니다. 특히 완전해 보여서 모두 다 정토종을 위해 유력한 증명이 되니, 《화엄경 보현행원품》에 결코 뒤떨어지지 않습니다. 우익대사께서는 정토법문은 "화엄의 심오한 법장(華嚴奧藏)이자 법화의 비밀스런 정수(法華祕髓)"라고 말씀하셨습니다.[43) 이 8글자는 우리에게 현재 진정으로 그것의 뜻을 알아야 정토법문이 견줄 수 없이 수승함을 인식하게 됩니다![44)]

---

43) "이 가르침은 아가타약으로 만병을 다스리는 총지이며, 절대 원융하고 불가사의한 법문이며, 화엄의 심오한 법장이자 법화의 비밀스런 정수이며, 일체 제불의 심요이자 보살만행의 나침반으로 모두 이 경전에서 벗어나지 못한다." 불설아미타경요해, 우익대사(비움과소통).

44) "관세음보살의 본원을 찬탄한 보문품이 아미타불과 서방정토의 찬탄으로 귀결되었다는 것은 관세음이 극락세계의 보처존(補處尊)이라는 종교 신앙의 경전적 근거가 된다고 볼 수 있다. 또한 법화경을 소의로 한 중국의 천태종이 선(禪)과 정토의 합일적 수행관을 제시하고 있는데, 이제 이 보문품 범본의 일곱 계송은 석가모니부처님의 구원본불久遠本佛 신앙을 보여주는 법화경이 직접 아미타불의 신앙과 연결될 수 있는 문헌학적인 근거를 확보해준다."라고 그 중요성을 처음으로 강조하셨습니다. 《백화도량에로의 길》(경서원, 1982), 법승스님.

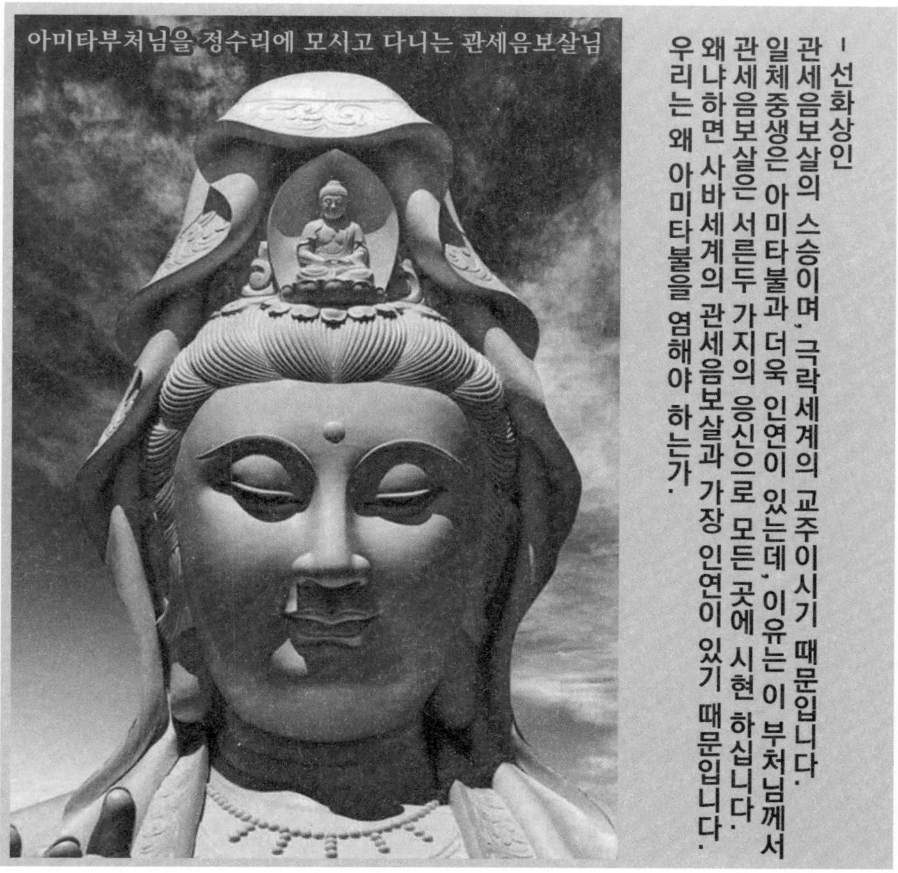
아미타부처님을 정수리에 모시고 다니는 관세음보살님
우리는 왜 아미타불을 염해야 하는가.
왜냐하면 사바세계의 관세음보살과 가장 인연이 있기 때문입니다.
관세음보살은 서른두 가지의 응신으로 모든 곳에 시현 하십니다.
일체중생은 아미타불과 더욱 인연이 있는데, 이유는 이 부처님께서
관세음보살의 스승이며, 극락세계의 교주이시기 때문입니다.
- 선화상인

보문품을 듣고 얻는 이익

1. 지지보살이 칭양 찬탄하다

이때 지지보살이 곧 자리에서 일어나 부처님 앞에서 아뢰기를, "세존이시여! 만약 어떤 중생이 이 「관세음보살보문품」의 자재한 업으로 보문시현하시는 신통력을 듣는다면 마땅히 이 사람의 공덕이 적지 않은 줄 알겠나이다."

爾時, 持地菩薩, 即從座起, 前白佛言 :「世尊! 若有衆生, 聞是觀世音菩薩品, 自在之業, 普門示現, 神通力者, 當知是人, 功德不少。」

여러분은 여기서 가리키는 것이 관세음보살의 명호가 아니라

《문시관세음보살품聞是觀世音菩薩品》임을 기억해야 합니다. 이는 직접적으로 「보문품普門品」, 이 일품을 가리키고, 나아가 《능엄경》의 「관음보살 이근원통장觀音菩薩耳根圓通章」을 포함한 그것도 관세음보살품이며, 《화엄경》의 「관자재보살장觀自在菩薩章」, 즉 《사십화엄四十華嚴》 제7회향장迴向章도 관세음보살품입니다. 그래서 이 한 문구는 협의로는 이 일품을 가리키고, 광의로는 두 경전 내에 관련된 모든 것을 그 가운데 포괄합니다.

「업業」은 사업입니다. 중생을 널리 제도하는 사업은 매우 자재하여 장애가 없습니다. 그래서 우리가 오늘 「보문품」을 독송하고, 「보문품」 강설을 들으면서 여러분 한 분 한 분마다 불법을 유통할 책임이 있습니다. 왜냐하면 우리 불자 중에 관세음보살을 염하고 관세음보살을 모시는 사람이 많은데, 왜 관세음이라고 하는지 모르고, 관세음보살께서 어디서 오셨는지 알지 못하며, 관세음보살께서는 구경에 어떤 덕행이 있는지 알지 못하기 때문입니다. 우리는 언제나 이런 사람들을 위해 해석하고 이런 사람들에게 독경을 권해야 합니다. 그들에게 독송하라고 권할 뿐만 아니라 반드시 경문의 뜻을 그들이 들을 수 있도록 강설해주어서 그들이 진정으로 관세음보살을 인식하고, 어떻게 보문 법문을 수학할 것인지 알아서, 진실한 공덕이익을 얻을 수 있게 해야 합니다. 그러면 흡사 지지보살께서 말씀하신 것처럼 우리의 공덕도 커질 것입니다. 이 단락의 주해를 읽어보면 이 주해에서 몇 마디 매우 중요한 말이 있습니다.

《보운경》에 이르시길, "보살에게는 열 가지 법이 있으니, 지지삼매라 이름한다. 세간의 땅처럼 첫째 광대하고, 둘째 중생이 의지하며, 셋째 좋아하고 싫어함이 없으며, 넷째 큰 비를 받아들일 수 있으며, 다섯째 초목이 자라며, 여섯째 종자가 의지하는 곳이며, 일곱째 온갖 보배가 생기며, 여덟째 온갖 약초가 자라며, 아홉째 바람에도 움직이지 않으며, 열째 사자후에도 놀라지 않느니라." 보살 또한 이러하여, 옛날 비사부불을 만났는데 그에게 가르치길, "심지를 평탄하게 닦으면 일체가 모두 평탄해지느니라." 이는 능히 묘법으로써 안으로 자기 마음을 평탄하게 하고, 바깥으로 우환을 저절로 평탄하게 하는 까닭에 이 품을 듣고서 그것을 칭양·찬탄한다.

寶雲經云：「菩薩有十法，名持地三昧。如世間地，一廣大，二衆生依，三無好惡，四受大雨，五生艸木，六種子所依，七生衆寶，八生衆藥，九風不動，十師子吼不驚。」菩薩亦爾，昔遇毗舍浮佛，教平心地，一切皆平，是能以妙法內平自心，外患自平，故聞此品而稱歎之。

「보운경운寶雲經云 보살유십법菩薩有十法 명지지삼매名持地三昧」, 이 보살님은 바로 지지삼매持地三昧를 얻었기 때문에 지지보살이라고 부릅니다. 「여세간지如世間地」, 여러분은 땅의 덕행이 매우 큼을 알고 있습니다. 땅이 없으면 일체 생물이 전혀 의지할 곳이 없으므로 반드시 땅이 있어야 합니다. 땅은 생생지덕生生之德45)이 있습니다. 그래서 아래에서 열 가지 덕행을 말합니다. 첫째 「광대합니다.」 둘째 「중생이 의지합니다.」 일체중생은 모두 대지에 의지해야 생존할 수 있습니다. 셋째 「좋아하고 싫어함이 없습니다.」 마음이 평등하여 좋아하고 싫어함이 없습니다. 네 번째 「큰 비를 받아들일 수 있습니다.」 다섯째 「초목이 자랍니다.」 여섯째 「종자가 의지하는 곳입니다.」 일곱째 「온갖 보배가 생깁니다.」 여덟째 「온갖 약초가 자랍니다.」 아홉째 「바람에도 움직이지 않습니다.」 열째 「사자후에도 놀라지 않습니다.」 우리의 시간은 많지 않습니다. 한 가지 한 가지 여러분에게 상세히 말할 수 있지만, 여기서 어떤 것은 법설이고, 어떤 것은 비유로 모두 알기 어렵습니다.

「**보살역이**菩薩亦爾」, 이 보살님은, 「**석우비사부불**昔遇毘舍浮佛」, 이는 그가 과거 인지因地 동안에 부처님 한 분을 만난 적이 있었는데, 이 부처님의 명호는 비사부毘舍浮라 하였고, 그에게 「심지를 평탄하게 닦을 것」을 가르쳤습니다. 그는 그때 고행을 닦았습니다. 무엇을 닦았습니까? 다리를 고치고 길을 닦는 것처럼 이 지방의 길이 좋지 않으면 사람을 대신하여 길을 닦았습니다. 길을 닦는 것은 사람들이 편리하게 왕래하게 하므로 공덕입니다. 길에서 부처님을

45) 낳고 낳는 덕, 곧 끊임없이 생명을 잉태하는 힘을 말한다.

만났는데, 부처님께서 그에게 말했습니다. **"길을 닦는 것도 괜찮고 좋은 일이지만, 먼저 당신의 심지를 평탄하게 해야 한다. 심지가 평탄하면, 일체 대지도 모두 평탄해지느라."** 그는 이 말에 깨달았습니다. 그래서 "이는 능히 묘법으로써 안으로 자기 마음을 평탄하게 하고, 바깥으로 우환을 저절로 평탄하게 한다." 이는 그의 공덕을 말한 것입니다. 묘법妙法은 대승불법을 가리킵니다. 여기서 협의적인 것으로 「관세음보살보문품」의 이 법문을 가리킵니다. 일심칭념·예배가 묘법이고, 무간無間·무의無疑가 우리 속마음을 평탄하게 합니다. 평탄하게 한다고 생각하십니까? 관세음보살의 명호를 일심으로 칭명하고 또 중단하지 않고 의심하지 않으면 당신의 마음은 당연히 평탄해집니다. 마음이 평탄하면 바깥경계도 평탄해지고 일체 재난도 칭념에 응해 사라집니다. 이런 감응도교는 매우 현저합니다. **"이 품을 듣고서 그것을 칭양·찬탄한다."** 칭탄할 수 있는 사람은 누구입니까? 마음이 평탄해진 사람이 칭양·찬탄할 수 있습니다. 그는 한번 듣고서 잘 알게 됩니다.

관음의 명호는 혹 「관세음」이라 하거나, 혹 「관자재」라고 말한다. 그 행은 혹 「보문」이라 하거나 혹 「원통」이라 한다. 연민심으로 관하고 자애심으로 관하여 중생에게 응하는 덕을 말하는 까닭에 명호를 「관세음」이라 한다. 진성심으로 관하고 청정심으로 관하여 마음을 비추는 공을 말하는 까닭에 명호를 「관자재」라 한다. 일심

에서 나와서 응함이 두루하지 않음이 없어 그것을 일러 「보문」이라 한다. 만물에서 돌이켜 비추어 녹지 않음이 없어 이를 일러 「원통」이라 한다. 기실은 하나일 뿐이다! 혹 자재로써 명호를 삼거나 혹 자재로써 업이라 이름한다. 자재로써 명호를 삼은 것은 마음이 자재를 얻은 것을 말하니, 《반야심경》에서 관자재라 칭함이 이것이다. 자재로써 업이라 이름한 것은 행에서 자재를 얻은 것을 말하니, 《능엄경》에서 「무작묘력無作妙力」이라 칭한 것과 같습니다.

觀音之號，或日觀世音，或日觀自在。其行或日普門，或日圓通。依悲觀慈觀，應物之德言之，故號觀世音。以眞觀淨觀，照心之功言之，故號觀自在。自一心而出，應無不遍，謂之普門。自萬物而反，照無不融，謂之圓通。其實一而已矣！故或以自在爲號，或以自在名業。以自在爲號，言心得自在如心經稱觀自在是也。以自在名業，言行得自在，如楞嚴稱無作妙力是也。

"관음의 명호는 혹 관세음이라 하거나, 혹 관자재라고 한다. 그 행은 혹 보문이라 하거나 혹 원통이라 한다." 이는 우리가 일체 경전에서 모두 독송하였습니다. "연민심으로 관하고 자애심으로 관하여 중생에게 응하는 덕을 말하는 까닭에 명호를 「관세음」이라 한다. 진성심으로 관하고 청정심으로 관하여 마음을 비추는 공을 말하는 까닭에 명호를 「관자재」라 한다. 일심에서 나와서 응함이 두루하지 않음이 없어 그것을 일러 「보문」이라 한다. 만물에서 돌이켜 비추어 녹지 않음이 없어 이를 일러 「원융」이라 한다. 기실은 하나일 뿐이다!"

단지 일심을 얻어 전부 구족하기만 하면 관음 · 자재 · 보문 · 원통을 전부 다 얻게 됩니다. 그것은 모두 일심 안에서의 작용입니다. 그래서 "혹 자재로 명호를 삼거나 혹 자재로써 업이라 이름한다. 자재로써 명호를 삼은 것은 마음이 자재를 얻은 것을 말하나니, 《반야심경》에서 관자재라 칭함이 이것이다." 《화엄경》에서도 관자재라 칭합니다. "자재로써 업이라 이름한 것은 행에서 자재를 얻은 것을 말하니, 《능엄경》에서 「무작묘력」이라 칭하는 것과 같습니다." 이 경계는 매우 광대하여 이를 깨치면 《능엄경》을 연구할 수 있습니다.

공덕이 작지 않음(功德不少)이란 자재의 업과 보문의 행이 실로 심지법문心地法門이 됨을 드러낸다. 그것을 듣고 지니는 사람이 만일 심지를 평탄히 지닐 수 있으면 바깥 우환이 저절로 평탄해져서 해가 될 수 없고 무외를 베풀 수 있다. 이로 말미암아 자재의 업과 보문의 행이 마침내 존재하게 된다. 그래서 이 품을 들은 사람의 공덕이 적지 않음을 이 보살은 애오라지 분명히 알았다고 말한다.

功德不少者, 顯自在之業, 普門之行, 實爲心地法門, 聞持之者, 苟能以是平持心地, 則外患自平, 不能爲害, 於諸怖畏, 能施無畏, 由是自在之業, 普門之行, 遂爲己有, 故日聞者功德不少, 此菩薩聊知分曉也。

우리들 자신도 모두 다 얻을 수 있습니다. 이렇게 수승한 공덕 이익을 지지보살은 볼 수 있어서 이 단락에서 우리에게 설명해 줍니다.

2. 이 품을 듣고 나서 큰 이익을 얻다.

부처님께서 이 「보문품」을 설하셨을 때 대중 가운데 팔만 사천 중생이 모두 무등등 아뇩다라삼먁삼보리의 마음을 일으켰다.

佛說是普門品時。衆中八萬四千衆生。皆發無等等阿耨多羅三藐三菩提心。

「무등등無等等」 이란 동등한 사물이 없고, 사물과 더불어 가지런히 평등함[46]을 말한다. 여래 최상의 덕으로써 법계의 깊은 바닥까지 남김없이 증명하여 비로자나불에게 스승이 있고 법신에 주인이

46) 실질적 균등(均等)으로 "가지런하되 동일하지는 않음"을 말한다. 각자의 재능, 실력, 여러 조건 등의 차이를 고려, 조정한 균등이다.

있어, 향상의 한 가지 일이고 세간 · 출세간법이 모두 이 바람 아래 서니, 동등한 사물이 없고 사물과 더불어 나란히 평등하다. 관세음이 이를 체득하여 보문의 행을 이루어 부류를 따라 응화하여 무등 · 여등한 까닭에 그 바람을 들은 자는 모두 이와 같은 마음을 낼 수 있다. 이로써 「보문원응」을 마친다.

「無等等」者，謂無同等之物，與此齊等也。以如來最上之德，證窮法界淵底，毗盧有師，法身有主，向上一著，世出世法，皆立下風，無有同等之物與之齊等。觀音體此以成普門之行，隨類應化，無等與等，故聞其風者，皆能發如是心也。普門圓應竟。

이는 「문품획익聞品獲益」으로 보문품의 유통분이나 마찬가지입니다. 「아뇩다라삼먁삼보리阿耨多羅三藐三菩提」는 범어로 번역하면 무상정등정각無上正等正覺으로 바로 여래과지상의 대보리입니다. 대보리大菩提 · 대열반大涅槃은 대보리에는 당연히 대열반이 있다는 말이고, 이것 하나면 된다는 말입니다. 이것이 우리가 말하는 보리심입니다. 모두들 듣고 난 후 각자 모두 보리심을 발하십시오. 보리심이 바로 일심입니다. 그래서 일심으로 칭명하면 바로 보리심이 모두 구족됩니다.

아미타부처님을 보좌하면서
그 좌우에 모시고 서서
지혜의 힘으로 능히 총지하시고
선정으로 무루를 성취하셨네
輔翼阿彌陀 侍立其左右 慧力能總持 禪定成無漏

거룩하신 아미타부처님
서방에 극락정토가 있나니
아미타부처님 중생을 돌보시고
관음보살 늘 거하시는 곳이라
至尊阿彌陀 西方有淨土 彌陀撫衆生 是彼常居處

저 국토에는 여성이 없고
오직 부처님의 자식들만 있을 뿐
모두 다 연꽃에서 화생하여
청정한 연못의 연꽃에 앉아있네
彼國無女人 惟有諸佛子 從蓮花化生 皆坐淨蓮池
_법화경 관세음보살보문품(산스크리트 본)

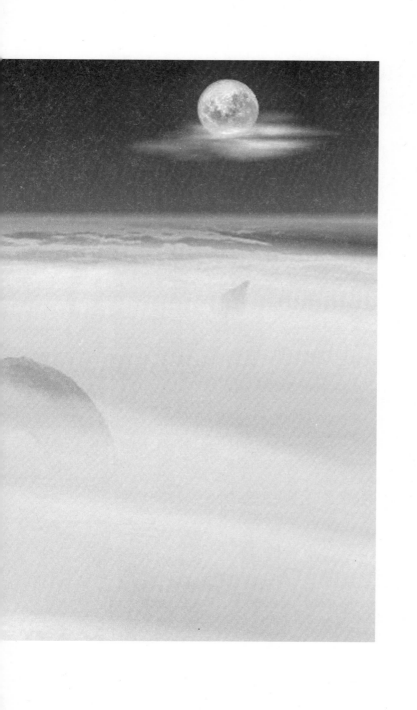

관음경 강기

1판 1쇄 펴낸날 2019년 4월 28일(관음재일)
강해 정공법사 **편역** 허만항
발행인 김재경 **편집 · 디자인** 김성우 **마케팅** 권태형 **제작** 경희정보인쇄
펴낸곳 도서출판 비움과소통(blog.daum.net/kudoyukjung)
경기 파주시 야당동 191-10 예일아트빌 3동 102호
전화 031-945-8739 팩스 0505-115-2068
이메일 buddhapia5@daum.net
출판등록 2010년 6월 18일 제318-2010-000092호

ISBN 979-11-6016-049-9 03220